$12.95

Marea negra

Alberto Vázquez-Figueroa

PLAZA & JANES EDITORES, S. A.

Portada de

JORDI VALLHONESTA

Sexta edición (Primera en esta colección):
Abril, 1986

© 1977, Alberto Vázquez-Figueroa
Editado por PLAZA & JANES EDITORES, S. A.
Virgen de Guadalupe, 21-33. Esplugues de Llobregat (Barcelona)

Printed in Spain — Impreso en España

ISBN: 84-01-32156-5 — Depósito Legal: B. 9.195 - 1986

La vieja mansión familiar de los Auclair-Langeais era grande, rústica, un poco amazacotada en su exterior, disimuladas sus pesadas líneas por un espeso bosque que la ocultaba parcialmente, y desde lejos, tan sólo el camino de grava que conducía a ella, colina arriba, servía al forastero para llegar a la conclusión de que allí, entre los árboles, habitaban seres humanos.

El camino de grava, y una columna de humo en invierno.

Luego, al pie de la colina, nacían campos de golf y prados de tierra abierta, buena para las vacas y los caballos, atravesada por uno de los más hermosos ríos de la comarca; río de truchas y aguas heladas; río en el que se habían bañado, en verano, generaciones de Auclair-Langeais.

Un puente de madera lo cruzaba. Probablemente, aquel puente había retumbado bajo los cañones de las tropas de Napoleón, pero aún soportaba sin más protesta que sonoros crujidos el paso chirriante de carretas cargadas de heno y tractores que arrastraban remolques, o se estremecía en todas sus pilastras cuando los negros autos de la familia aplastaban una vez más los carcomidos travesaños en sus viajes de ida y vuelta a la colina.

Los fines de semana solían ser jornadas duras para el viejo y maltrecho puente. Los fines de semana, comenzando las tardes de los viernes, llegaban desde **París**, a dos horas de distancia, los innumerables invitados de «Monsieur le Ministre», Christian Auclair-Langeais, cuyas infinitas ocupaciones en días laborables no le permitían hacer vida social, y prefería reunir a sus invitados allí, en su casa de campo, y disfrutar de unos días de descanso; de golf, caza y pesca, o tranquila charla al amor del fuego alrededor de una mesa de naipes.

«Monsieur le Ministre» ya no era ministro, pero todos en París sabían que su posición dentro del Gobierno y dentro de la Comunidad Económica Europea, era mucho más decisoria que cuando detentaba una cartera en el Gabinete.

Por ello, en los campos de golf, los prados, los ríos, los salones o el puente de la mansión familiar, se tomaban a menudo decisiones que afectaban de modo muy directo a cincuenta millones de franceses.

Un fin de semana del mes de noviembre, el viejo puente chirrió al oscurecer del viernes, cuando un auto verde, mucho menos serio y oficial que los que acostumbraban llegar en esos días y en esas horas, atravesó el río e inició sin prisas el difícil ascenso hacia la colina, perdiéndose de vista entre los primeros árboles del bosque ya en penumbra.

El propio dueño de la casa aguardaba a la puerta, y las frases de elogio a la belleza y elegancia de su huésped resultaron tan sinceras y calurosas, que Anne-Marie de Villard, después de aceptar sus besos y que le mantuviera las manos cogidas largo rato, le miró directamente a los ojos y sonrió burlona señalando a su esposo, que regresaba de dejar el coche en el garaje:

—¿Realmente nos has invitado a los dos, Christian...? —quiso saber—. Esta acogida más bien suena a «encerrona para una dama sola», que a invitación a un matrimonio amigo...

«Monsieur le Ministre» no supo responder más que con una risita divertida, pasó el brazo sobre el hombro de Gérard de Villard y les invitó a penetrar en la casa, donde comprobaron, sorprendidos, que se encontraban solos.

—¿Somos los primeros...? —se extrañó él.

—Sois los únicos... —se apresuró a puntualizar—. Esta semana no he invitado a nadie más.

—¿Por qué?

Tardó en responder, los acomodó en el amplio sofá frente a la chimenea y se encaminó al bar. Ya detrás de la barra, como protegiéndose por ella mientras rebuscaba entre las botellas, prometió sin mirarles:

—Después de cenar os lo diré...

Anne-Marie y Gérard de Villard recelaron de su fingida indiferencia. Conocían de antiguo a su anfitrión y no les había pasado inadvertido un tono extraño en su voz al dar una respuesta aparentemente simple.

Aceptaron un whisky, y sólo una hora después, mediada la cena, Christian comentó, como si no diera importancia al tema:

—Terminé tu libro sobre Sudamérica, Gérard... ¡Muy interesante...!

—Creí que un político no tenía tiempo que perder en antropología...

—Y no lo tengo... Pero me llamaba la atención particularmente... ¿Cuánto tiempo estuvisteis allí...? ¿Un año...?

—Diez meses... Menos de lo que necesita.

—¿Conocisteis a León Plaza...?

Gérard de Villard presintió, sin saber por qué, que acababan de llegar al punto que interesaba a su amigo. Inexplicablemente, se sintió molesto:

—Sí —admitió—. Le conocimos...

—¿Qué concepto tienes de él...?

Lo extraño de la pregunta estribaba en que iba dirigida, directa y personalmente, a Anne-Marie, que se volvió a su esposo como si no acabara de captar la intención de Christian Auclair-Langeais.

Como Gérard no reaccionaba, meditó durante unos segundos, bebió como para dar tiempo a hallar una respuesta exacta e hizo un gesto con la cabeza:

—Un hombre extraordinario —admitió—. Con una gran personalidad.

—¿Atractivo...?

—Sí, muy atractivo. Tiene un aire de hombre duro y al mismo tiempo indefenso, que atrae a las mujeres.

—¿Te hizo la corte?

Anne-Marie intercambió una mirada de asombro con su esposo, auténticamente desconcertada por lo que parecía un interrogatorio en toda regla, en el que el amigo de siempre se había convertido en un personaje diferente y casi desconocido.

—No. ¡Naturalmente que no...! —protestó—. Plaza es un caballero. Y continúa enamorado de su esposa.

—Pero hace cuatro años que ella murió.

—No creo que eso tenga nada que ver...

—Sí tiene que ver... —el tono era impaciente—. ¿Le gustabas, o no?

—¿Cómo puedo saberlo...? —intentó defenderse Anne-Marie.

—¡Vamos...! —El gesto de Christian fue elocuente—. Una mujer sabe cuándo le gusta a un hombre.
—«Monsieur le Ministre» se inclinó hacia delante y su voz cambió. Extendió la mano y la posó sobre la de ella—. Es importante... —añadió—. Muy importante, y no podré decírtelo si no me das una respuesta sincera. Sabes que os aprecio. A los dos... —hizo

una pausa—. No me permitiría molestarte, si no estuviera convencido de que es absolutamente necesario... Dime: ¿Se sentía atraído por ti León Plaza?

Anne-Marie de Villard dudó. Se volvió a Gérard en muda petición de consentimiento o ayuda, y éste, al fin, hizo una leve seña animándola a que hablara.

—Sí. Creo que sí... —aceptó—. Vi fotos de su esposa. Nos parecíamos, y también era francesa... Creo que eso le atraía de mí.

—¡Bien...!

Christian se echó hacia atrás en su asiento, dejó a un lado los cubiertos y pareció haber perdido su reconocido apetito. Agitó la cabeza varias veces y contempló, alternativamente, a sus dos invitados.

—¡Bien...! —repitió—. Todo eso lo sabíamos... —señaló después—. Pero necesitábamos confrontarlo con tu propia opinión... León Plaza, «el Hombre de los Llanos», no ha sentido interés en los últimos tiempos más que por una sola persona: Anne-Marie de Villard, esposa de un naturalista francés a la que conoció hace dos años.

—«Sabíamos» y «necesitábamos...» —recalcó Gérard, interviniendo por primera vez en largo rato—. ¿Qué significa esto, Christian? ¿Por qué en plural? ¿A quién le preocupa que León Plaza se interese por mi esposa? Cierto que coincidimos unos días en casa de los Salem, pero insisto en que, en todo momento, se comportó como un caballero. Nadie tiene por qué imaginar que experimentase la menor atracción por Anne-Marie... ¿Cómo es que «alguien» más lo sabe, Christian...?

—Recuerda que no estabais solos... —hizo una pausa para encender un enorme habano, tras ofrecer otro a Gérard, que lo aceptó aunque se le advertía molesto—. Y si alguien más lo sabe —continuó— es porque tal vez ese detalle tan nimio puede convertirse en uno de los ejes sobre los que gire Europa en los próximos años...

—¿Estás loco...?

—En absoluto... —le refutó «Monsieur le Ministre» convencido—. No soy yo el que está loco. Es el mundo el que lo está...

Dos horas después, a solas en el gran salón al que habían regresado tras la cena, bebiendo despacio en enormes copas un añejo coñac de reserva especial a la tibia luz que proporcionaba la chimenea, los dos hombres y la mujer dejaron pasar los minutos en silencio, meditando en torno a cuanto Christian Auclair-Langeais había expuesto, con notable claridad, a partir de los postres.

Fue Anne-Marie de Villard la que se decidió a hablar. Se la veía profundamente preocupada.

—Tú sabes que yo amo a Gérard... —dijo—. Sabes que le amo y le respeto. Él y los chicos son lo único que me importa en este mundo... ¿Cómo puedes pedir algo así...?

—Porque es el único camino que nos queda... —señaló—. León Plaza es el hombre, estamos seguros. Pero León Plaza es como una tortuga encerrada en su caparazón; inaccesible. En los últimos años, sólo una vez ha asomado la cabeza interesado por algo, y «ese» algo eres tú... Y no es que dé la casualidad que tú seas amiga mía. Es que yo he sido elegido para contactarte, porque soy amigo tuyo. Las órdenes vienen de más arriba. De muchísimo más arriba... Lo discutieron nueve Jefes de Gobierno de nueve potencias mundiales en torno a una mesa...

Anne-Marie de Villard soltó una corta carcajada que quiso ser divertida:

—¿Pretendes hacerme creer que hablaron concretamente de mí...?

—¿Te extraña, ahora que sabes lo que está en juego...? ¿Crees de verdad que ha habido alguna vez algo más importante para Europa...?

—¡No digas tonterías...!

—No digo tonterías... Imagina por un instante que un año antes de estallar la Segunda Guerra Mundial, los Jefes de Estado europeos hubiesen tenido noticias de que existía en el mundo una mujer capaz de convencer a Adolfo Hitler de que se retirase a criar gallinas a Sajonia. ¿Hubieran hablado de ella, o no hubieran hablado de ella?

—¡No es lo mismo...!

—Sí lo es, convéncete... —bebió su coñac de un golpe, con impaciencia—. Y lo que te estamos pidiendo no es que te metas en la cama de León Plaza y hagas el papel de Mata-Hari. Lo que queremos es exactamente lo opuesto. Que te mantengas lo más lejos posible de su cama... Él no buscaría en ti una amante. Si las quisiera, le sobrarían. Él buscaría la gran señora que eres; tu estilo, tu inteligencia, tu cultura y tu delicadeza... —Se inclinó hacia delante, como queriendo transmitirles sus convicciones—. Eres una mujer única y exquisita, Anne-Marie... Lo puedo decir puesto que Gérard está presente... Lo eres, y no es de extrañar, por tanto, que ese hombre se fijara en ti... —Hizo una pausa, mientras el gran reloj de pared desgranaba su carillón y dejaba caer sobre la casa silenciosa dos sonoras campanadas—. Pero de la misma manera que sé qué clase de mujer eres, sé también qué clase de hombre es tu marido. Puede tratarse del destino de Europa, y supongo que, ante eso, ni Gérard ni tú, reaccionaréis como dos estúpidos burgueses de mentalidad retrógrada.

—¿Qué dirías si se tratase de tu mujer...?

«Monsieur le Ministre» lanzó una divertida y espontánea carcajada que rebotó contra las paredes.

—La pobre Lola, que Dios tenga en su gloria, no lo hubiera dudado un minuto... ¡Y por Dios que yo hubiera dado gracias al cielo ante la posibilidad de librarme de ella una temporada...! —Su expresión cambió, ensombreciéndose—. Hablando en serio. No quiero que deis una respuesta precipitada. Meditad en lo que os he dicho: examinad los pros y los contras, tened en cuenta que lo que se decide es el destino de millones de seres humanos y una forma de civilización que se encuentra peligrosamente amenazada, y tomad una decisión.

—No va a ser fácil...

—¡No! Desde luego... Pero en los tiempos que corren, nada es fácil, y lo será mucho menos en los años venideros si esta fórmula no da resultado.

Con las grandes, las torrenciales, las inconcebibles lluvias de los meses de «invierno», que se iniciaban por abril o mayo, los arroyuelos, los caños, los torrentes y los ríos empezaron a correr, la tierra a empaparse, y con un día tras otro de caer agua, de no cesar ni un instante, los cauces se salieron de madre, la llanura se anegó, el nivel del agua subió poco a poco y alcanzó los diez, veinte y hasta treinta centímetros de altura en todo cuanto alcanzaba la vista.

El llano se había convertido en un inmenso mar, del que no sobresalían más que, aquí y allá, las copas de los arbustos y los escurridos troncos de los árboles y en el que flotaban cientos de cadáveres de cuantos animales no lograron ponerse a salvo a tiempo.

Como islotes, algunos desniveles de terreno habían quedado algo más secos, y en ellos se alzaban a veces las viviendas de los hombres, y a ellos acudía a buscar protección el ganado, las bestias libres de la llanura, e incluso las fieras que no habían encontrado otra guarida.

La lluvia seguía cayendo; el nivel del agua ascendía más y más, y el precario refugio resultaba a todas luces insuficiente, iba perdiendo terreno metro a metro, hasta que al fin las bestias tuvieron que encaramarse a los árboles o echarse a nadar a la búsqueda de otro islote más seguro. Muchas morían ahogadas y otras sufrían el ataque de los caimanes, las pirañas y las gigantescas anacondas que acudían desde los grandes cauces del Meta y el Orinoco al olor de la presa.

Pero un día dejó de llover. Podría creerse un descanso que se tomaban las nubes, pero no: en el llano todos sabían que no, y mirando al cielo se comprendía que el ardiente sol del trópico se había adueñado de la tierra y su poder haría cambiar el paisaje y su flora.

Las aguas comenzaban a retirarse; el espacio disponible se ensanchaba y la tierra renacía a la vida. Muchos animales salían entonces de su letargo invernal, de sus cuevas protegidas y sus escondites, mientras otros —cuyo apetito y furia parecían haber disminuido anteriormente— recuperaban ahora lo uno y lo otro, y miraban a su alrededor con los ojos encendidos, con las fauces ávidas, con los hocicos aventados. Llegaba el momento de la desbandada; y apenas se vislumbraba una oportunidad, los venados emprendían veloz carrera saltando sobre las aguas para perderse en la distancia, seguidos por todos aquellos que temían la ferocidad de sus vecinos y el hambre ahora desatada de las serpientes, de los jaguares, de las docenas de depredadores de los llanos.

Aún pasaría tiempo antes de que el agua desapareciese por completo; antes de que el fango dejase de agarrarse a las patas impidiendo el avance, pero el sol cumpliría aprisa su duro cometido, mientras los ríos, los caños, los arroyuelos y los torrentes continuaban arrastrando hacia el Apure, el Meta y el Gran Orinoco, la tumultuosa carga líquida, que aún recorrería miles de kilómetros acabando por perderse en el mar.

Los árboles se vestían ya de verde, y de un verde manto se cubría también la tierra. Millones de flores nacían, y la primavera estallaba con una fuerza y una belleza deslumbrantes. Tan sólo entonces el hombre abandonaba la protección de su chamizo, cavaba un pedazo del terreno abandonado por las aguas y plantaba su cebada, su maíz y su yuca. Después, dejaba la huerta y los niños al cuidado de la mujer y se lanzaba, jinete en pequeño caballo, a la llanura, a buscar su ganado, a reunirlo y contarlo; a saber cuántas reses perdió con el «agua grande».

Durante días, los hombres del llano galopaban solos, completamente solos y, en ocasiones, no regresaban a casa durante semanas y meses. Llevaban consigo cuanto necesitaban para su frugal alimentación, una hamaca que colgar entre los árboles, y, en la funda de cuero, una manta, una toalla y un pedazo de jabón.

A la cintura el machete, en la cabeza el sombrero, y escondido entre la ropa, el grueso revólver de gran calibre.

El jinete trotaba sin cansar a su cabalgadura, descalzo, sujetándose a los estribos tan sólo con los gruesos dedos engarfiados, blanco el pantalón y la camisa blanca, fuerte y fibroso, un llanero más entre los miles de llaneros, preocupado por su ganado, como si de hijos en lugar de animales se tratase, buscando tal vez, en la inmensa soledad de la llanura, compañía a sus recuerdos.

León Plaza amaba aquellas tierras. Las amaba pese a sus lluvias que ahogaban y a que, cuando se adentrase el verano, la sequía mataría a más bestias de las que mató el agua.

Le gustaba recorrer millas y millas sin distinguir más que las orejas de su caballo y la línea del horizonte, sin nadie que le distrajese de sus pensamientos y sus recuerdos; de la eterna evocación de la juventud que nunca volvería, o la presencia que tanto sentía en aquella soledad, de la mujer malograda.

Luego, muy distante, asomaba a veces un caño, una especie de río sin corriente; una gran grieta que serpenteaba por la tierra y en la que se remansaba el agua, poblada de árboles y vegetación, espesa su orilla, impenetrable con frecuencia, y guarida de las fieras en verano.

León Plaza los conocía por sus nombres: Caño Guaritico, Caño Setenta, Caño Curvo, Caño Balsa, que parecían rivalizar con verdaderos ríos de renombre: Capanaparo, Matiyure, Arauca, Apure, Meta, pues de ellos no les diferenciaba más que la cantidad y el movimiento de sus aguas.

En esos caños y esos ríos, los árboles inclinaban sus ramas bajo el peso de enormes «garzones-soldados» blancos, de largo pico y altas patas; de ribeteadas alas, encaramados en increíble equilibrio sobre las copas de cualquier arbusto, o formando auténticas paradas militares de cómico aspecto, mientras las loras chillaban, las cotorras parloteaban y los guacamayos, de un rojo violento, contrastaban contra el azul de un cielo que seguiría así: azul y sin una nube, hasta las lluvias del próximo «invierno».

Y en la arena húmeda, en el fango de las orillas y la tierra, además de caimanes y pequeños galápagos, huellas de otras muchas bestias; de zorros, dantas, jabalíes, monos araguatos, venados, chiguires, jaguares...

Descabalgó para tomar asiento a la sombra de un araguaney florido, encendió un «Negro Primero» capaz de romperle el pecho a quien no fuera, como él, llanero, y como él tuviera los pulmones habituados al polvo, el humo y el tabaco fuerte, y contempló una vez más la tierra sin horizontes en la que había nacido hijo de india y «baqueano», el mejor «baqueano» que existiera jamás al sur del Apure, como admitiera un día el más viejo de los «baqueanos» de Barinas.

Contempló el agua que se llevaba el río; agua desperdiciada, que primero el Arauca y luego el Orinoco arrastrarían hasta el mar, perdida para siempre; agua que dentro de unos meses sus vacas y sus caballos buscarían con ansia sin hallarla, pereciendo de sed, derretidos los huesos y el cerebro por un sol capaz de secar el mismísimo océano.

Tenía que existir algún modo de luchar contra aquella Naturaleza adversa. El hombre, que tantas cosas había sabido inventar en este siglo, tenía que descubrir la forma de detener de una vez por todas aquella absurda guerra entre el sol y el agua; guerra de siglos sin vencedor ni vencido; sin más derrotado que el hombre o la bestia, que unas veces se ahogaba y las otras se asfixiaba.

Un caimán nació de lo más hondo, asomó sus ojos de periscopio por encima de la superficie del agua y le observó, atento y goloso.

Le lanzó la colilla del cigarro sin acertarle, lo estudió mientras se aproximaba a olisquearla, y acabó por olvidarlo, prendida su atención en el sol que se ocultaba más allá del más lejano horizonte, manchando de rojo intenso el cielo.

Era una hermosa hora aquella en la llanura. La hora en que el denso calor del día daba paso a la brisa refrescante y dulce de la tarde, antes de la llegada del frío cortante de las noches del llano; frío que curtía la piel tanto o más de lo que ya la curtiera el sol de la mañana.

Más tarde rugió el tigre en la espesura. Reconoció la voz de un gran macho; un «mano-de-plomo», manchado y satisfecho, que rugía para imponer su presencia y su poder al hombre, al intruso que había osado invadir sus dominios de rey absoluto del caño y la planicie.

—No gruñas... —le aconsejó—. Que si tú eres tigre, yo soy León, y esta tierra es más mía que tuya... Al fin y al cabo, la compré...

Había comprado cuanto alcanzaba la vista. Hectáreas y hectáreas de extensión sin accidentes donde el ojo inexperto no lograba diferenciar un lugar del que dejara atrás seis horas antes, y en aquella tierra mojada y seca, fría y caliente, idéntica a sí misma pero, al mismo tiempo, tan llena de contrastes, había invertido hasta su último bolívar.

Allí estaba su vida, en pedazos de tierra; en ríos y en arroyos; en vacas, en caimanes y en jaguares; en loras que gritaban y en pirañas que acechaban bajo el agua. Allí estaba el largo y duro destino de la frontera en plena selva; las luchas contra los motilones rebelados; los años de cárcel cuando la Dictadura; los crueles tiempos de la guerrilla en Falcón, y la larga y repetida batalla por la democracia cuando el país no conocía siquiera el significado de semejante palabra.

Allí estaba todo; en tierra que nadie más que él quiso comprar, tierra que exigía más de seis hectáreas para alimentar a una triste vaca.

—No te harás rico en esa tierra —le habían dicho—. Tiras tu dinero al mar... o al llano, que es lo mismo.

Nunca soñó con hacerse rico León Plaza. No necesitaba ya más espacio del que tenía, ni alcanzaba a ir más lejos a caballo. Tampoco podía gastar más dinero en los Llanos, o pagar por que fueran más rojos los ocasos, ni por que volaran más altos los patos. No le cobraría más caro el caimán, ni el araguato, ni el viejo tigre que rugía en la espesura.

Buscó en su zurrón un pedazo de queso duro y un pan blando. Bebió una lata de cerveza caliente y enterró el recipiente. Se envolvió luego en su áspera manta de «baqueano», se apoyó contra un tronco y se quedó dormido.

Como cada noche soñó con Dominique, la única mujer que nunca amara.

El amanecer sorprendió a Anne-Marie de Villard junto al amplio ventanal, contemplando a Gérard que dormía en el gran lecho matrimonial, y observando cómo la primera claridad comenzaba a dar relieve a los pesados muebles del suntuoso dormitorio en el que, probablemente, durmieron antaño ministros, presidentes y hasta reyes.

No había logrado conciliar el sueño, y lo presintió desde el momento en que penetraron en la habitación, pues cuanto Christian había dicho, se le antojó demasiado importante como para perder la noche en dormir.

Necesitaba meditar, y mucho. Gérerd descansaba y le agradeció que lo hiciese, pues el hecho de haberse acostado de inmediato, cerrando los ojos tras desearle buenas noches, era una especie de muda invitación a que se quedara a solas con sus pensamientos, y fuera únicamente ella la que tomase una decisión.

Gérard era así: tan inteligente, tan enemorado y sensible, que había comprendido desde el primer instante que era Anne-Marie quien debía elegir.

Se trataba de veinte años de matrimonio. Veinte años de amor, respeto y un profundo conocimiento mutuo. Veinte años, y dos hijos que pronto serían hombres, pero que aún no estaban en edad de comprender qué era lo que la Europa de los Nueve exigía a su madre.

Trató de recordar a León Plaza.

A solas consigo misma no podía negar la impresión que le causara conocerle. Era un «hombre-leyenda» en lo que ella consideró siempre un continente de leyenda, con duros ojos de indio, gesto altivo y voz tranquila y dominante. Era el hombre con el que soñaban las mujeres y al que temían, envidiaban y respetaban los hombres. Era el hombre que todos querrían haber sido, y ninguno otro fue.

Y era, también, el hombre sobre el que flotaba la más hermosa de todas las historias: la de que jamás había amado, ni tocado, ni mirado a más mujer que la que conoció de muchacho y con la que se casó.

Extraño en un país machista donde cambiar de hembra era, a menudo, la mayor muestra de virilidad de miles de hombres. Extraño en unos tiempos en los que el amor romántico había pasado de moda, y era más motivo de burla que de elogio.

Se sintió halagada. Ante el asombro de cuantos le conocían, León Plaza mostró por primera vez interés por una mujer, e incluso se podría decir que, por unos días, apartaba a un lado el recuerdo de Dominique.

Hablaron de literatura, arte y antropología. Hablaron de política y de guerra, y él pareció sorprenderse por los conocimientos de una mujer en la que, en un principio, no creyó encontrar más que un vago recuerdo de su esposa.

—Hay algo en las francesas... —le comentó una noche a Arístides Ungría—. Hay algo en las francesas que las demás mujeres no saben aceptar. —Encendió uno de sus malolientes rompepechos—. Yo las mandaría una temporada a París a que aprendieran.

—No puedes juzgar, por dos, a todas...

—No, desde luego... Pero... ¿Dónde he vuelto a encontrar nunca ese estilo, o esa forma de encarar la vida...?

Anne-Marie conoció al día siguiente el comentario. En casa de los Salem no se habló esa semana más que de la impresión que una dama francesa, de paso por Venezuela, había causado en León Plaza. Luego el rumor se extendió por Caracas, y alguien comentó con humor que la vida de Gérard de Villard corría peligro.

—Un oficial exaltado sería capaz de pegarle un tiro, por dejarla viuda y sacar al General de su retiro. El Ejército no es el mismo desde que él se fue.

A los treinta y siete años, cuando la vida y la juventud comienzan a alejarse; cuando ya un hijo trae la novia a casa y pronto llegará el momento de ser abuela, descubrir de improviso que se está en condiciones de vencer, sin lucha en guerras ya olvidadas, puede significar una especie de renacer a la vida y a las ilusiones de otro tiempo.

Luego el General volvió a las maniobras por las que abandonara momentáneamente su retiro en los Llanos, Gérard acabó sus investigaciones y emprendieron el regreso a casa, a los chicos, a la vida de siempre, y al olvido.

Ahora, dos años después, el hombre más importante que Anne-Marie conocía, trataba de demostrarle, con números y datos, que de aquel encuentro casual podía depender el destino de millones de seres humanos y de Europa.

Y lo más absurdo del caso; lo más increíble, lo más loco, era que —tal como Christian lo expusiera— parecía lógico.

—Coinciden muchos factores... —había sido la explicación de «Monsieur le Ministre»—. El principal: que estamos llegando al límite... Tres años más, y todo se derrumbará sobre nuestra cabeza. Nos devorará el comunismo o nos comprará el Islam... Había que encontrar una solución, y alguien tuvo, en algún lugar, una idea brillante: la solución eres tú, Anne-Marie.

—¡No exageres...!

—No exagero... Estoy de acuerdo en que no serás quien nos salve, pero también lo estarás conmigo, en que eres el primer eslabón de la cadena: los cimientos sobre los que construir nuestro edificio.

El día avanzaba. La luz se apoderaba del bosque, y un tímido sol mañanero se abría camino entre ramas y hojas, buscando penetrar hasta el fondo de la habitación, y el lecho en que Gérard dormía.

Lo contempló una vez más. Lo amaba. Lo amaba con ese amor tranquilo que proporcionan veinte años de convivencia, hijos comunes y comunes problemas superados. Lo amaba por su bondad, su comprensión y su paciencia. Lo amaba por su inteligencia y sus delicadezas, y porque había sido capaz de acallar ilusiones, sacrificando su vida por ella y por los niños.

Gérard de Villard había tardado veinticinco años en ver cumplirse su sueño de escribir el más completo tratado sobre antropología sudamericana, por seguir. acudiendo día tras día a la Universidad, a explicar algo que ya le importaba poco, a una banda de gamberros a los que tampoco les importaba nada. Y ahora, cuando, al fin, se dignaban reconocer su talento y su valía; cuando la vida se abría ante ellos llena de posibilidades, le pedían que pusiera en peligro su unión matrimonial y el futuro de su familia a causa de complejos razonamientos de oscura política.

No había protestado. No había dado un salto en la butaca alegando, indignado, que se pretendía ofenderle poniendo su buen nombre y el de su esposa en la boca de millones de malintencionados. No había hecho comentario alguno, limitándose a observar la reacción de Anne-Marie, consciente de que, pese a veinte años de sacrificio, no tenía derecho a imponer condiciones y era ella quien debía elegir libremente.

—Desde luego... —había comenzado a insinuar Auclair-Langeais—. Se os compensará por las molestias...

Le había cortado en seco:

—¡No lo jodas, Christian! —rogó—. Tú eres más diplomático que eso. Por dinero sería por lo único que no aceptaría siquiera meditarlo.

Una vez más le agradeció haberse casado con ella veinte años antes.

Le miró y descubrió que la miraba.

Se sonrieron. Lo sabían todo el uno del otro sin necesidad de intercambiar palabra alguna.

—¡Buenos días!

—¿Son realmente buenos...?

Acudió a su lado. Se sentó en el borde de la cama, se inclinó sobre él y le besó. Fue un beso largo, intenso, y más lleno que nunca de todas esas intenciones ocultas que tienen a menudo los besos de los seres que se conocen íntimamente. Se necesitaban e hicieron el amor como antaño, descubriendo sensaciones nuevas y despertando sentimientos aletargados.

Luego, desnudos sobre el lecho, el uno con la cabeza en los muslos del otro, contemplaron el baldaquín forrado de raso que colgaba en torno a las altas columnas labradas.

—¿Qué personajes famosos habrán hecho lo mismo aquí? Christian presume de que una bisabuela suya fue amante de Richelieu. Tal vez éste fuera el marco de sus andanzas...

Rió.

—¿Te imaginas al cardenal saltando sobre la cama con la sotana al aire y sin nada debajo...?

—¿Y te imaginas al bisabuelo de Christian entrando en ese momento...?

Se hizo un silencio. Las risas cesaron de improviso. Visto desde la perspectiva de los siglos, el abuelo de Christian podía resultar cómico. En aquel tiempo probablemente no le debió parecer divertido que su esposa se acostara con el político más poderoso de Francia, ni aun por «razón de Estado». Sus bisnietos podrían presumir de ello en el futuro, pero ese futuro le quedaba a él muy lejos.

Fue como si hubiera leído el pensamiento.

—¿Crees que nuestros bisnietos se sentirán orgullosos de que te acuestes con León Plaza...?

—¡Por favor!

—Seamos realistas... Jamás dudé de ti. Eres la mejor esposa que un hombre haya podido tener nunca, pero también conocí a León Plaza... Si aceptas, no será para mirarle a los ojos... Le esquivarás un día, una semana, un mes... Pero, a la larga, exigirá su premio...

—Eso no es lo que Christian propuso.

—No. No lo hizo. Es demasiado inteligente... Pero no entenderlo es pecar de estúpido... —Hizo una pausa y le obligó a que la mirara de frente, a los ojos—. No me importa lo que pueda ocurrir entre tú y León Plaza... —añadió—. No es un trago de gusto, pero creo que este asunto es lo suficientemente importante, y hay demasiadas cosas en juego, como para esforzarse por no mostrarse egoísta. —Agitó la cabeza, pesimista—. Es el mismo León Plaza el que me preocupa... ¿Qué probabilidad de recuperarte tengo...?

—¡Por Dios, Gérard...! ¡Eres mi marido! Te quiero...

—¡Exactamente...! Soy tu marido... Soy veinte años tu marido, y me quieres... Él llegará con el vigor de un amante nuevo, y lo amarás...

—¿Cómo puedes pensar eso...?

—¿Cómo puedo no pensarlo...? ¿Desde cuándo nos

hacíamos el amor de esta manera...? ¿Desde cuándo no te murmuro al oído que te quiero, te llevo a un club nocturno o alabo la elegancia de tu nuevo vestido...? ¿Desde cuándo puede un viejo marido ganarle la batalla a un nuevo amante...?

—No lo sé. Nunca tuve ninguno.

—Ahora lo tendrás... Y no un amante cualquiera... No un imbécil al que yo pueda derrotar en otros campos. No un niño bonito. ¡León Plaza!

—¡No es Dios...! ¿En tan poco me consideras...? —Se lamentó—. ¿No te bastan estos años de estar juntos día por día, para saber qué puedes esperar de mí...? Es León Plaza, de acuerdo. Un hombre interesante y poderoso. Me impresionó cuando lo conocí, pero eso es todo. Ni entonces, ni ahora, me pasó ningún otro pensamiento por la mente... Para una mujer, el amor es más que eso...

—¿Estás segura?

Anne-Marie de Villard tardó en responder. Se analizó a sí misma sin pretender engañarse, ni engañar a su esposo. Pensó en León Plaza y pensó luego en sus hijos y en aquellos veinte años de vida en común: Al fin miró a Gérard a los ojos, francamente:

—Sí, estoy segura —respondió.

Las aguas habían comenzado a descender mucho tiempo atrás.

Poco a poco fueron desapareciendo bajo el sol, o arrastradas por los desaguaderos, y tan sólo aisladamente, en pequeñas hondonadas, se conservaron algunas lagunas que también, hora tras hora, iban perdiendo su nivel a ojos vista.

La tierra empezó a resquebrajarse, y un amanecer los seres vivos, desde el lagarto al hombre, descubrieron que ni una sola gota de agua podía encontrarse en cientos de kilómetros a la redonda. Al «agua grande» sucedió la «gran sequía».

El calor aumentaba. Las hierbas verdes se quebraban como paja muerta; los árboles, quemados y sin hojas, no acertaban a dar sombra al infierno de polvo abrasante en que las bestias y los hombres morían de sed.

Las reses vagaban sin rumbo por la llanura, y sus mugidos se escuchaban a kilómetros, mientras bandadas de negros y tétricos zamuros volaban formando círculos o se apiñaban en torno a los primeros cadáveres.

De nuevo el llanero había de tomar su caballo y galopar incansable, martirizado ahora por un sol que parecía querer destruirlo lanzando sus rayos con violencia y maldad, intentando derribarlo de su montura.

Protegiéndose el rostro con un pañuelo para no aspirar el polvo reseco y asfixiante que levantaba el viento, con un calor que superaba a menudo los cincuenta grados, otra vez contaban las reses que faltaban y los terneros que morían jóvenes, incapaces de soportar el tostadero en que acababan de nacer.

La tierra era como un horno: un horno del que surgía una colina que enturbiaba la mirada, que hacía perder el sentido, y los hombres y las bestias abrían una y otra vez la boca, aspirando con esfuerzo, porque el aire denso y caliente se negaba a penetrar en sus pulmones.

Nada era comparable a aquel mundo desolado: a aquella extensión sin límites, que de mar se había convertido en desierto pese a que, de tanto en tanto, se alzasen filas de árboles a la orilla de lo que fueran, meses atrás, caños, ríos y lagunas. Y era allí, bajo esos árboles, junto a esos cauces, donde caía muerto el ganado, perdida su última esperanza de agua en esos caños, esas lagunas y esos ríos antaño plagados de vida.

Caimanes, galápagos y peces habían visto con espanto cómo el elemento que los protegía desaparecía tragado por el sol y la tierra. Los cocodrilos comenzaban a quedar con el lomo al aire, y luego medio cuerpo, y luego todo, y se amontonaban disputándose el último charco barroso, compartiendo el limo con tortugas y pirañas. Quedaban al fin a la intemperie bajo el sol implacable y el calor sin límites, para acabar muriendo mientras sus carnes se secaban dentro de sus duras pieles que parecían curtirse al fuego que les rodeaba, resquebrajándose y dejando a la vista el esqueleto limpio. Un esqueleto que las víboras, las hormigas y los gusanos se habían apresurado a vaciar.

Era la muerte. Una vez más, la muerte en la llanura.

Y el hombre, el llanero, León Plaza, jinete descalzo de yegua rápida y nerviosa, galopaba incansable procurando salvar lo que era suyo: lo que le había costado tantos años de lucha.

Los caballos. Eso era lo más importante: los caballos que correteaban los potreros, que pastaban los matojos, que retozaban juntos y traían al mundo, en libertad, nuevos caballos libres, que eran su orgullo y la única razón de su existencia. Los caballos, y a ellos dedicaba todo su esfuerzo, aunque tuviera que pasar horas y días bombeando agua desde lo más profundo de los más profundos pozos.

Los caballos.

No conocía en este mundo espectáculo comparable al del atardecer en la llanura, cuando el sol se ocultaba tras el horizonte, todo adquiría un tinte gris en la tierra, y en el silencio se escuchaba el golpetear de los cascos y la voz de Sebastián que aparecía galopando, inclinado sobre el cuello de su montura, conduciendo con el lazo en la mano la reata de animales: la crin al viento, la cabeza alta, el paso ágil y elegante, mientras un perro, que era como una diminuta centella, ayudaba a su amo a mantener unido el grupo. La nube de polvo que iban dejando atrás las bestias se elevaba más allá de los altos árboles, y un relinchar impaciente y nervioso denunciaba que dos potros habían escapado para perderse entre las sombras.

León Plaza encerraba entonces la reata, tomaba el vaso de agua que la mujer de su peón le ofrecía, y partía con Sebastián de nuevo hacia la noche; siempre en pos de los fugitivos, guiados tan sólo por el ruido de sus cascos, incansables.

Y en el silencio, en la quietud del llano que ya nadie sería capaz de turbar, llegaba hasta él el relinchar de la yegua, el jadear de los potros que huían, los gritos lejanos del peón, el golpear del lazo contra el arzón de la silla y los cortos ladridos del perro.

Era aquélla su aventura de cada jornada: la de la búsqueda en las sombras, hasta que de esas sombras nacía la noble cabeza de una bestia, después otra, luego el polvo y, tras ellos, el jinete y su perro, que penetraban juntos en el corral que la mujer cerraba hasta la mañana siguiente.

Ya era de noche. Noche cerrada. La hora de regresar entre las tinieblas a la hacienda. La hora de escuchar el canto de los grillos, el silbido de los primeros «pájaros-bombarderos», el lamento del jaguar encelado y el llanto del viento pidiendo que algo detuviera su eterno vagar por la llanura.

Era la hora en que la vieja criada preparaba su cena de hombre solo, leía un rato a la luz del candil y se quedaba dormido en la hamaca del porche.

Le despertó un rumor conocido.

Apenas amanecía y ya llegaba del Nordeste, empujado por el viento, familiar e inesperado por aquellas fechas de calor insoportable, polvo y mala caza.

Aterrizó en la explanada, a espaldas de la casa, en la llanura que era toda ella una ilimitada pista de aterrizaje, y le alegró distinguir en los mandos al general Arístides Ungría, viejo amigo, compañero de Academia y Jefe de su Estado Mayor durante años.

—¿Cómo tan pronto, viejo...? ¿Amaneciste en el aire...?

—Estuve hasta las tres en una fiesta de la Embajada francesa. De ahí me fui a La Carlota, preparé la avioneta y, en cuanto abrieron el campo, me lancé a volar...

—¿Por qué la urgencia...?

—Adivina a quién encontré en la fiesta de la Embajada.

—¡Al embajador!

—Sí, desde luego... Y a su invitada de honor, Madame Anne-Marie de Villard.

Caminaban, tomados del brazo hacia el porche, y el general León Plaza se detuvo y obligó al otro a que se volviera a mirarle de frente.

—¿Anne-Marie de Villard? —repitió—. ¿Estás seguro?

—Si no llego a estar seguro, a buena hora me meto yo tres horas de vuelo hasta este infierno... ¡Conversamos toda la noche...!

—¿Y qué te contó?

—Que se divorcia...

Ahora el general León Plaza permaneció clavado sobre el polvo del llano, observando incrédulo a su íntimo amigo, el general Arístides Ungría que había avanzado un par de pasos y se volvía a mirarle con una sonrisa burlona en los labios.

—¿Que se divorcia? —repitió.

—Como lo oyes...

—Pero... ¡Si lleva casada veinte años...!

—Razón de más...

Negó convencido:

—No puedo creerte.

—Pues no me creas, hermano... Ve y pregúntaselo... ¡Ahí tienes un avión...!

Reiniciaron la marcha y fueron a tomar asiento en el porche:

—¡Cándida, los desayunos...! —gritó, y luego se volvió de nuevo al otro—. Nunca creí que esa mujer se divorciara. ¡Nunca...! El hombre que la deje escapar tiene que ser estúpido, y su marido no lo era...

—Se habrá cansado... Veinte años, son veinte años... Quizá conoció a otra...

El general Plaza tardó en responder. Se diría que intentaba asimilar la noticia, y le costaba trabajo aceptarla, pese a las seguridades que le daban.

Agitó la cabeza cuando Cándida apareció con dos tazones de café negro, arepas recién tostadas, caraotas, arroz blanco y los enormes platos de huevos revueltos con cebolla, tomate y tocineta.

—¡Es absurdo...! —exclamó.

Arístides Ungría contempló asombrado cuanto la vieja había dejado sobre la tosca mesa de madera.

—¿Desayunas cada día con esto? —se extasió... «Pericos», arroz, caraotas, arepas... ¡Dios del cielo...! Me pondría hecho un cerdo en una semana...

—No, si te pasas el resto del día subido a un caballo y sudando como un pollo llano adelante... ¡Se está divorciando...! —repitió como para sí—. ¿Y qué ha venido a hacer aquí?

—Quiere escribir un libro sobre Ecología de La Guayana. —Hizo una pausa mientras comenzaba a devorar las caraotas—. Mi impresión es que viene huyendo de París y los recuerdos... Quizás el marido se buscó otra.

—¡Imbécil...! La gente nunca sabe apreciar lo que tiene ¡Una mujer como ella...!

—Tampoco te pongas así. Al fin y al cabo, la trataste unos días de vacaciones. No es lo mismo que convivir veinte años...

—Parecía muy enamorado...

—De eso hace dos años... Mi hijo mayor se ha divorciado dos veces en dos años...

—Lo siento por él —fue la respuesta—. No hay forma de conocer bien a un ser humano en ese tiempo...

Terminaban de desayunar cuando llegó Sebastián, y León Plaza lo envió por un caballo para su huésped.

—No he venido a romperme el culo cabalgando por

esos llanos del infierno —protestó Ungría—. No, esta vez...

Pero su amigo había desaparecido ya en el interior de la casa, regresando con unas botas y un sombrero llanero..

—Tendrás que hacerlo... —fue la respuesta inapelable—. Si, como sospecho, has venido para llevarme a Caracas con el cebo de Madame de Villard, tendrás que acompañarme antes a solucionar algunos problemas...

—¿Qué problemas...?

Tres horas después, derretido por un sol que le secaba el cerebro, empapado por un sudor que se mezclaba con el polvo formando un barro pringoso y desagradable, y arreando ante sí tres mustias vacas que se emperraban en escapar hacia la llanura abierta, el general Arístides Ungría se preguntaba aún qué problemas llevaban a su amigo y superior hasta el mismísimo confín de los inmensos llanos.

—Indios —fue la respuesta cuando avistaron una hondonada en la que aún se conservaba un ancho pozo con medio metro de agua fangosa—. Una partida de indios cuibá, supervivientes de la matanza de Elorza... Están aterrorizados, y se esconden...

—¿La matanza de Elorza...?

—Hace tres años. Un hacendado los invitó a una fiesta, los emborrachó y asesinó a catorce para quedarse con sus tierras.

—Ahora me acuerdo... Pero intervino la Guardia Nacional. ¿O no...?

—Demasiado tarde, como ocurre siempre con los asunto indígenas... El tipo escapó a Colombia, pero dicen que ya está en Caracas de nuevo, y los cuibá andan errantes y asustados, muertos de hambre y sed, y esperando que acaben con ellos cualquier día.

Constituían en verdad un lamentable cuadro: dos

docenas de indígenas famélicos, enfermos y tristes, acampados bajo techos de palmera moriche, a la orilla de un pozo de aguas sucias.

Se escondieron al ver llegar a los blancos, y tan sólo se adelantaron los hombres al reconocer en el jinete descalzo a León Plaza. Bajó del caballo, los saludó con un apretón de manos y luego señaló las cabezas de ganado que habían arreado hasta allí.

—Para vosotros —dijo—. Para que no comáis carne de animales muertos, ni me matéis las reses de reproducción...

—Nunca te mataríamos una bestia, hermano... —protestó el que parecía jefe—. Tú eres «Mi General»...

—Ni a mí, ni a nadie, Marcelo —señaló—. Luego pasa lo que pasa... Pon a cazar a tu gente, y conserva las vacas para caso de apuro... No empieces por comértelas...

—Mira mi gente, hermano... —le indicó el otro—. Están flacos, enfermos y hambrientos... La caza ya no es lo que era en el Llano... Vienen los blancos en aviones desde la ciudad, traen rifles, persiguen a los venados con motocicletas, y los matan por docenas... Los que sobreviven están tan asustados que no podemos aproximarnos... Nos quitaron las tierras y nos quitan la caza... ¿Qué podemos hacer?

León Plaza tardó en responder. Sacó un paquete de cigarrillos y lo distribuyó entre los indígenas que le rodeaban. Les dio fuego, y durante un largo rato fumaron en silencio sentados en el suelo del mayor de los chamizos.

—Sabes que puedes acampar en mis tierras —dijo—. Puedes plantar tus «conucos» y cazar aquí, donde nadie caza... Puedes pedirme agua, y una vaca cuando tu gente tenga hambre... Pero no debes robarme. Ni a mí, ni a mis vecinos...

—Los «cuibá» jamás habíamos robado —fue la seca respuesta—. Los cuibá ni siquiera sabían lo que era robar hasta que vinieron los blancos.

Cuando se alejaron, León Plaza se volvió a medias en su silla, deteniendo su yegua para observarlos por última vez, desnudos, costrosos y derrotados, aguardando impacientes que desapareciese en la distancia para abalanzarse sobre las reses y devorarles hasta las entrañas.

—¡Míralos! —dijo—. Son venezolanos... Hay setenta mil como ellos, ciudadanos de uno de los países más ricos del mundo, y quizá bajo sus pies se oculte un mar de petróleo. Miles de millones de bolívares para pagar cientos de millones de pedazos de pan y filetes de vaca, pero siguen ahí, muriéndose de sed, hambre y miedo.

El general Arístides Ungría dejó que su cabalgadura avanzara según su propia iniciativa. Se quitó el sombrero, se secó el sudor, lanzó un resoplido de fatiga y comentó, sin levantar la cabeza:

—El otro día retransmitieron por televisión un partido de fútbol desde Roma... ¿Es posible que en estos tiempos, mientras yo veo cómo meten un gol a miles de kilómetros de distancia, ellos pretendan continuar viviendo de la caza como hace miles de años...?

—¿Les has preguntado, acaso, si quieren ver el partido de fútbol en tu televisor...? ¿Les hemos ofrecido alguna vez la posibilidad de elegir conscientemente? —quiso saber—. Toma a cualquiera de esos indios, móntalo en tu avioneta y llévatelo a Caracas. En tres horas habrás dado un salto en la Historia, y te sorprendería comprobar que, con inteligencia, cariño y voluntad, lograrías adaptarlo... —Hizo una pausa y, por primera vez, el tono de su voz se alteró; habló de nuevo como el hombre que era; como el General que había sido; como el jefe al que tantos habían seguido ciegamente—. Somos uno de los pocos países ricos del Planeta, que aún conserva entre sus fronteras toda la gama de la evolución de los seres humanos: desde los que continúan en la Edad de Piedra, hasta los que corren ya por el siglo veintiuno... Cuando seamos capaces de comprender la magnitud y la importancia de ese tesoro, y aprendamos a respetarlos a todos, sea cual sea su escala cultural, su raza o sus creencias, comenzaremos a estar en camino de considerarnos una nación auténticamente civilizada... Hasta entonces seguiremos siendo un puñado de nuevos ricos que no sabe cómo gastar lo que tiene, y que abusa, desprecia y desconoce a la inmensa mayoría de sus compatriotas...

Calor. Calor asfixiante, calor pegajoso, calor insoportable, calor de día y de noche, en invierno y en verano, en la quietud más desesperante, o con un viento tórrido que llegaba arrasándolo todo.

Los hierros ardían, las planchas de las plataformas abrasaban, los coches que se quedaban al sol, en la orilla, amenazaban con derretirse.

El lago aparecía a veces como una superficie tersa, inmóvil y brillante; otras, agitada, revuelta y sucia e incluso, a menudo, un mar embravecido, temible y devastador, pero siempre un bosque de hierros que se entrecruzaban, que se elevaban, que se calentaban al sol. Un bosque de torres de perforación que se alzaban a cuarenta o cincuenta metros sobre la superficie, y que clavaban sus pilotes veinte o treinta metros más abajo, en el lecho de fango.

Dos, tres, cuatro, mil torres, o tal vez más. Eso no podía saberlo Rómulo Ramos. Nadie podía saberlo, porque nadie conseguiría contarlas. Toda la extensión del agua, hasta donde alcanzaba la vista, no era más que un inmenso bosque de torres de las que manaba petróleo día y noche, ininterrumpidamente mes tras mes, y año tras año en el lugar de la tierra que producía una mayor cantidad de riqueza en proporción a su tamaño, y del que se extraía casi una quinta parte del petróleo que se consumía en el mundo.

Y allí, para extraer del fondo de aquel lago, miles de millones de dólares, ni un solo ser humano, ni un alma por más que se otease a uno y otro lado de los cuatro puntos cardinales. Tan sólo hierros, agua, sol, calor y el invisible petróleo que subía hasta las plataformas, para perderse luego por las anchas tuberías y los infinitos recovecos de conducciones en que se había convertido el fondo, para acabar en un depósito herméticamente cerrado, una refinería o un gigantesco tanquero, que lo llevaría al otro extremo del Planeta.

Se diría que aquella monstruosa máquina de producir riqueza, aquel mecanismo que haría que se pusieran luego en marcha millones de otros mecanismos, funcionaba por sí solo, no necesitaba la mano del hombre y se había constituido en un ente autónomo y temible.

Tan sólo había algo que no sabía hacer la máquina: perforar.

Y Rómulo Ramos era el mejor perforador de su compañía. Por eso estaba allí a casi tres horas en motora de la costa más cercana, de Lagunillas, Tía Juana, Cabimas o Punta Gorda, en el centro del Lago Maracaibo, a treinta metros sobre su fondo y cuatro sobre su superficie.

Contempló en silencio, sin interés, la mil veces vista gabarra anclada al costado de la torre, inmensa, maciza y estremecida por el sordo batir de sus motores. Llevaba en sí cuanto pudieran precisar los hombres para su trabajo: laboratorios, almacenes, viviendas, comedores, pistas de aterrizaje para helicópteros e incluso una sala de cine de las más modernas y sofisticadas.

Los motores rugían, la «mesa giratoria» daba vueltas y vueltas introduciendo el tubo en las entrañas de la tierra, y los chirridos y el estruendo eran tan sólo superados por el calor, porque nada en el mundo superaba el calor de Maracaibo.

Y ese ruido, ese ronronear incansable de los motores, el chirriar de la cabeza de la torre, el golpetear de los martillos de los obreros que cambiaban los tubos y los gritos y avisos de atención constituían uno de los martirios que Rómulo Ramos se sentía incapaz de soportar por más tiempo. Estruendo inconcebible que, sin embargo, a poco más de un kilómetro aguas adentro, se convertía en silencio de muerte: un silencio que incluso hacía daño; un silencio en el que se diría que la vida había cesado sobre la tierra, como si una catástrofe atómica hubiera pasado sobre ella no dejando en pie más que las torres de hierro, las aguas aceitosas, el lago infinito, el sol deslumbrante y el calor de infierno.

Los mecanismos continuaban girando y girando, crujiendo y lamentándose ajenos a todo. Atornillada al «cuadrante», una tubería iba lanzando al fondo del pozo el lodo viscoso que, a cientos de metros bajo ellos lubricaría la cabeza de la barrena que se mantenía suspendida sobre la dura roca que iban perforando.

Más tarde, Rómulo analizaría ese lodo cuando regresase a la superficie trayendo consigo las materias que hubiese encontrado en su camino. Le indicaría en qué tipo de terreno se encontraban, y si necesitaban aumentar o disminuir el número de revoluciones de la «mesa giratoria», la composición del nuevo lodo lubricante, o la cimentación de las paredes que comenzaban a desmoronarse.

Eran ya años de perforar en un trabajo monótono y mil veces repetido: un trabajo bien hecho, que a cualquier gringo lo hubiera catapultado, desde mucho tiempo atrás, a los puestos directivos de la Compañía. Pero la Compañía era norteamericana, no promocionaba más que a su propia gente, y él, Rómulo Ramos, uno de los mejores ingenieros venezolanos, no sería nunca más que «un latino», un ser de raza inferior, indigno de figurar en un Consejo de Administración norteamericano.

Rómulo Ramos sabía bien que, desde el 13 de noviembre de 1913, en que comenzó a perforarse el pozo petrolero número uno, en Tía Juana, a orillas del lago, la política, la economía, el desenvolvimiento e incluso la moral de los venezolanos, venían dictados por los intereses de aquellas grandes empresas americanas que se habían hecho multimillonarias, extrayendo a diario hasta tres millones de barriles de crudo de su patria.

Mientras gobernó el feroz y cruel Juan Vicente Gómez, las grandes compañías habían actuado con absoluta libertad, haciendo y deshaciendo a su gusto, sin riesgos, y entregando al tirano beneficios ridículamente pequeños.

Luego, con la muerte del dictador y la llegada del régimen democrático, la primera inquietud de unos venezolanos ahora libres por el destino y el disfrute de la riqueza que legítimamente les pertenecía, obligó a los magnates de Nueva York a ofrecer como compensación el tradicional «cincuenta-cincuenta» al nuevo Estado. Pero como, de todas formas, los sindicatos continuaron pidiendo mejoras para sus afiliados, las compañías emplearon su dinero no en conceder mejoras sino en financiar a un coronelito ambicioso: Marcos Pérez-Jiménez, que dio un golpe de Estado, disolvió la Federación de Trabajadores del Petróleo, asesinó o encarceló a sus dirigentes y devolvió a las empresas todas sus prerrogativas.

Si las compañías habían sido capaces de hacer eso con todo un país, no podía extrañarse que le mantuviesen de ingeniero perforador para el resto de su vida.

El capataz le trajo los resultados de los análisis de la última toma, los estudió e hizo un gesto a sus hombres.

—Seguir así hasta los mil cuatrocientos... Voy a echarme un rato.

Subió a la gabarra, atravesó la cubierta achicharrada por el sol en la que se amontonaban largos tubos, cabezas de perforación y cables, y agradeció la bendición del aire acondicionado de popa, donde se encontraban los laboratorios y la zona de vivienda. Buscó un refresco en la máquina, y se encaminaba con él en la mano hacia su camarote cuando en la puerta del cuarto de radio hizo su aparición el mismo capataz que bajara a llevarle los análisis:

—Le llaman de Caracas —dijo.

Entró tras él, se situó ante el aparato y tomó el micrófono.

—¿Qué hay? —gritó.

—¿Ramos...? —inquirió una voz, que le sonó vagamente familiar—. Un helicóptero va en camino... Queremos que esté aquí mañana a primera hora...

—¿Ocurre algo?

—Ya se lo explicaremos...

—Estoy perforando... No puedo dejarlo ahora... —protestó.

—Sidney va en el helicóptero —fue la respuesta sin apelación posible—. Él le sustituirá... ¡Cambio y fuera!

Cortaron. Siempre lo hacían así. Siempre daban órdenes sin tener nada en cuenta, ni importarles que aquél fuera «su pozo», al que había dedicado horas y horas de esfuerzo.

Dentro de tres días le correspondía ir a Caracas. En

realidad, pasaba la mitad de su tiempo en la capital y la otra mitad en Maracaibo, pero los «cerebros» de la compañía no podían aguardar a que él llegase en su momento. Se les habría ocurrido cualquier tontería y le obligaban a hacer el viaje de ida y vuelta sabiendo —si es que lo sabían— que odiaba los aviones y los helicópteros.

Bajó a la plataforma, comprobó que el trabajo seguía su ritmo, dio las últimas órdenes para su ausencia, aunque le constaba que el «gringo» no las tendría en cuenta, y cuando regresaba distinguió en la distancia la silueta del helicóptero rojo que se aproximaba velozmente.

Maldijo por lo bajo y se dispuso a partir.

El calor aumentaba por minutos. No corría ni una brizna de aire, y el lago, impregnado por los derrames de crudo, semejaba una bandeja de acero bruñida en la que se reflejaban, como en un espejo, las torres de perforación.

Para Anne-Marie de Villard existían pocos hoteles en el mundo comparables al «Tamanaco». Alzado a media ladera de una colina de la «Urbanización Las Mercedes», quizá la más agradable de Caracas, las ventanas de sus habitaciones se abrían a la piscina y a la ciudad que se extendía a sus pies, encajonada en el valle, pudiendo distinguirse desde los altos edificios de Sabana Grande a las colinas de Petare.

Luego, allá abajo, a dos kilómetros se iniciaba la cabecera de pista del pequeño aeropuerto de La Carlota, las grandes avenidas y la sinuosa línea de la «Cota Mil», que corría al pie del majestuoso Monte Ávila.

Era hermosa Caracas, a su juicio. Muy hermosa, y pocas capitales podían presumir de un emplazamiento semejante, verde en conjunto, pues verdes eran las faldas del Ávila, las Colinas de Bello Monte, el Parque del Este y Country. Y el verde era el color que prevalecía sobre cualquier otro hacia dondequiera que se mirase desde las terrazas o la piscina del «Tamanaco».

Evocó los largos paseos que diera con Gérard dos años antes por la vieja ciudad colonial y unos barrios que aún conservaban plazas, palacios y rincones con viejo sabor español, donde se mantenían en pie iglesias resquebrajadas por los terremotos, y frente a las que se alzaban «ceibas» gigantes que quizá dieron sombra a los conquistadores.

Era ésa la Caracas del «Silencio» y el «Calvario», donde las calles no tenían nombre y las direcciones se señalaban de esquina a esquina, de modo que se podía oír a alguien decir que vivía «de Gobernador a Muerto», o «de Conde a Ánimas». Era la parte auténticamente «criolla» de la ciudad y los barrios anteriores al alud de emigrantes de los años cuarenta, cuando cientos de miles de fugitivos, desesperados por las contiendas y el hambre de Europa, arribaron a las costas venezolanas en busca de una nueva nación tranquila y acogedora.

Esos mismos emigrantes comenzaron a agrandar la pequeña Caracas colonial y recoleta, hasta convertirla en la supermoderna ciudad que era, y como el valle no les dejó espacio hacia los lados, tuvieron que extenderse siempre hacia el Este, creando una de las capitales más largas y estrechas que cupiera imaginar.

Tanta distancia había que recorrerla por autopistas, vías rápidas y enloquecidas, pues Caracas fue durante años la urbe de mayor crecimiento del mundo, y se invadieron así antiguas haciendas de café, que fueron dando sus sonoros nombres a nuevas urbanizaciones: el Rosal, el Cafetal, los Caobos, las Acacias, Prados del Este...

Gérard, tan metódico en todo, se extasiaba con el anárquico desarrollo de una ciudad que parecía haber sido creada con retazos de otras muchas ciudades de muy distintos países, pero que llegaba a tener, sin embargo, y pese a ello, una indescriptible armonía.

Tumbada ahora allí, en el césped de la piscina del «Tamanaco», Anne-Marie contemplaba extendida ante ella, como expuesta, la ciudad que recorrieron juntos, y en la que juntos subieran a la cumbre del Ávila, juntos fueran a las carreras de caballos, o a visitar el Parque, y se acostaran en aquel mismo césped a contemplar la misma ciudad.

Pensó en Gérard; en su última noche en París, y lo difícil que resultó llamar a los muchachos para explicarles que, por primera vez, su madre se separaba de la familia, sin que pudieran saber cuándo volvería.

Lo habían discutido con Christian, que, deseando mostrarse sincero, no supo dar una respuesta exacta:

—Cuanto mejor salgan las cosas, peor para vosotros —admitió honradamente—. Si el General no muerde el anzuelo y se ha olvidado de ti, te limitarás a pasar un par de semanas de vacaciones en Caracas y regresar a casa como te fuiste.

—¿Y si el General no me ha olvidado?

«Monsieur le Ministre» se encogió de hombros:

—En ese caso, cualquier cosa puede ocurrir... —agitó la cabeza convencido—. ¡Cualquier cosa! Incluso lo más absurdo.

¿Cómo decírselo a los chicos...? ¿Cómo llamarles al salón y confesarles que su madre —«la vieja» en el argot privado— se marchaba a las Américas en busca de una aventura en la que «hasta lo más absurdo» podía ocurrir...?

—No expliques nada —le aconsejó Christian—. Di simplemente que te han concedido una beca y vas a estudiar ecología guayanesa... ¿Para qué necesitan saber más...?

—Nunca les he mentido.

—Es hora de que empieces... —aseguró—. No puedo permitir que les cuentes la verdadera razón por la que vas a Venezuela... Debe ser el secreto mejor guardado del mundo... Sabes bien lo que depende de él...

Lo sabía muy bien, en efecto. Tras aquel fin de semana en la vieja mansión de los Auclair-Langeais, los acontecimientos se precipitaron, y Anne-Marie y Gérard de Villard se vieron lanzados por una especie de tobogán sin freno en el que tres hombres a los que jamás habían visto pero que parecían saberlo todo sobre ellos —y sobre todo en general— comenzaron a gobernar sus vidas.

Fueron muchas las cosas que Anne-Marie tuvo que aprender en las semanas siguientes. Desde su forma de comportarse cuando se encontrara por primera vez frente a León Plaza, hasta conocimientos profundos sobre una serie de materias por las que no había sentido el menor interés hasta ese instante.

—¿Por qué? —se lamentó—. ¿Por qué tiene que ser precisamente ese anacoreta misógino...? Hay tantos hombres que se vuelven locos por la primera falda que se atraviese en su camino. Empiezo a odiarle...

A solas, tenía que reconocer que cuanto más aprendía sobre el general León Plaza, más impresionada se sentía. Resultaba increíble que tras aquellas facciones bastas, de mestizo de india y llanero, pudiera esconderse una personalidad tan arrolladora, una inteligencia tan clara y un magnetismo personal tan desbordante.

Estudiando su historial, se adivinaba que León Plaza fue desde niño un líder que jamás quiso ser líder.

Allí donde otros iniciaban, sin aptitudes, el difícil camino que conducía a las más altas cimas, él, que tenía por sus condiciones el horizonte expedito hasta la cumbre, rechazaba una y otra vez seguir la que parecía la senda de su destino, despreciando honores, ignorando alabanzas y encerrándose en su pétreo caparazón y en una ancha sonrisa irónica que desarmaba a todos.

—Tres veces pudo ser Presidente sólo con aceptar que presentaran su candidatura, y tres veces se negó.

«En Miraflores no me dejarían criar caballos», fue siempre su respuesta.

—¿Por qué esa afición a los caballos...? —quiso saber.

El más «experto» de todos los expertos se encogió de hombros.

—Es algo consustancial a los llaneros. Nacen entre caballos y quieren morir entre caballos...

A veces todo se le antojaba un sueño; una extravagante pesadilla de la que despertaría en cualquier instante, para encontrarse de nuevo en casa junto a Gérard y los chicos.

—¡Buenos días, Madame!

Abrió los ojos deslumbrada y lo vio allí, de pie ante ella, alto y cuadrado, con su cara de mestizo de india y llanero, en la que se diría que el sol se reflejaba en cada uno de sus enormes dientes de criador de caballos.

Recordó las instrucciones; se colocó la mano sobre la frente a modo de visera, y estudió con detenimiento el rostro que le sonreía y los ojos negros y profundos que se clavaban en los suyos con cierta ansiedad.

Dejó pasar unos segundos, como tratando de hacer memoria, y se diría que por su cara pasaba una muda pregunta, porque el hombre insitió:

—¿Se acuerda de mí...? León Plaza... Nos conocimos en casa de los Salem hace dos años...

—¡Oh, naturalmente! Ahora caigo... El «coronel» Plaza...

Comprobó que no se inmutaba ni parecía importarle haber sido degradado de ese modo en un instante. Señaló la hamaca vecina:

—¿Puedo...?

—Desde luego, «coronel»... ¡Desde luego...! ¡Qué sorpresa encontrarlo aquí...!

Tomó asiento, no sin dar un pequeño respingo al advertir que se abrasaba el trasero al colocarlo sobre el plástico verde de la mecedora que había pasado la mañana al duro sol caraqueño. El vigilante de la piscina, siempre atento, se apresuró a traerle una toalla, y ya sobre ella, más tranquilo y más fresco, el general León Plaza pudo recuperar su prestancia momentáneamente perdida.

—¿Y su esposo...? —Fue su primera pregunta en la que intentó darle a su voz el tono más despreocupado posible.

La respuesta tardó en llegar. El rostro de Anne-Marie de Villard se había ensombrecido, y ella misma se maravilló de cómo estaba interpretando su papel, aunque admitía que en verdad sentía un nudo en la garganta al tener que mentir respecto a Gérard:

—Usted sabe... —comenzó, e hizo una larga pausa—. Se acabó. Nos estamos divorciando.

—¡Ah!

Recordó de improviso que aquélla era la exclamación favorita del general, y que resultaba imposible desentrañar su significado. Sonrió como queriendo quitarle importancia al hecho:

—Cuénteme de usted... ¿Qué le trae por aquí...? Creo recordar que vivía siempre en... —dudó a propósito, como buscando en su memoria.

—En los llanos —puntualizó él—. Allí continúo... Estoy de paso en la ciudad, y casualmente me hospedo en el hotel...

—¡Qué coincidencia! —Anne-Marie pareció realmente encantada—. ¿Y cómo están sus vacas...? ¿O eran caballos? Sí... Ahora recuerdo: Usted se dedicaba sobre todo a la cría de caballos, ¿no es cierto?

—Caballos... —admitió—. Aunque también tengo algunas vacas... Pero ya sabe. Aquella tierra es muy dura para el ganado... Y entre una vaca y un caballo, prefiero siempre un caballo.

—Comprendo... —Anne-Marie se inclinó hacia delante, a tomar un cigarrillo y el encendedor que descansaban sobre una diminuta mesa de metal blanco, a su lado. El general Plaza no pudo por menos de maravillarse ante la rotundidad y firmeza de sus enormes pechos.

Con la parte superior del bikini casi suelta de resultas de haber estado tomando el sol boca abajo, no cabía posibilidad de engaño, y León Plaza se percató, casi incrédulo, de que a su edad, y pese a haber dado a luz dos hijos, el pecho de Anne-Marie de Villard no tenía nada que envidiar al de una muchacha de veinte años. Se le advertía grande, rotundo y pétreo.

Había encendido parsimoniosamente un cigarrillo y le ofrecía otro, pero él prefirió buscar en el bolsillo de la camisa uno de sus eternos «Negro-Primero». Anne-Marie frunció la nariz en un gesto cómico.

—¿Aún fuma eso...? Debe de tener pulmones de acero... —Se echó de nuevo hacia atrás en su tumbona, y observó con cierto interés a su interlocutor—. Lo que no entiendo —añadió— es que tenga que elegir entre caballos y vacas... ¿No hay espacio para todos?

—La sequía... ya sabe. El llano es así: unos meses se inunda, y otros se seca... Una tierra difícil.

—Sí, lo sé —admitió ella—. No hace mucho leí un estudio muy interesante sobre el llano... —Hizo una pausa y le miró como si buscase que fuera él quien le aclarase sus dudas—. Pero, ¿no habían solucionado ya ese problema con el sistema de «módulos»? —añadió.

El general León Plaza pareció momentáneamente desconcertado y le molestó admitir que no tenía una idea muy clara sobre los «módulos», aunque alguien había comentado que estaban haciendo estudios sobre ellos en la región de Apure.

Anne-Marie se esforzó por no demostrar unos excesivos conocimientos que pudieran chocar al general o herir su orgullo masculino. De forma clara, hablando siempre de lo que «había leído», expuso en qué consistía el sistema de «módulos».

Levantando muros de tres o cuatros metros de altura, paralelos a los tradicionales cauces de desagüe de los llanos, se creaban una especie de gigantescas piscinas en declive. Con la temporada de lluvias, se llenaban, y luego, durante la sequía, en lugar de perderse toda el agua de golpe, quedaba almacenada.

A medida que el sol la evaporaba, iba creando una zona húmeda en la que el ganado podía pastar cómodamente. Esos pastos se renovaban con el descenso del agua hasta la llegada de las nuevas lluvias, cuando se reiniciaba el ciclo en la parte alta.

Si no recordaba mal, de ese modo la capacidad de crianza del ganado se multiplicaba, al tiempo que disminuían los gastos de siembra de pastos artificiales.

El general León Plaza la escuchó interesado, y quizás un tanto sorprendido por el hecho de que una mujer —y una mujer extranjera— conociera tan a fondo un problema que para él resultaba vital.

—Todo eso parece magnífico —admitió al fin—. Pero los llanos ocupan la tercera parte de Venezuela. ¿Cuánto costaría poner en marcha un plan de «módulos» en casi trescientos mil kilómetros cuadrados de superficie...?

—No lo sé —fue la respuesta—. Pero si no recuerdo mal, el estudio aseguraba que, al precio actual del petróleo, y con los recursos que ustedes tienen, no más de lo que ingresan en dos o tres meses... —hizo un gesto francamente cómico—. La verdad, para transformar esos desiertos en un vergel, no me parece caro...

El general León Plaza permaneció largo rato en silencio consumiendo hasta el límite su cigarrillo, y meditando en lo que acababa de decir. Por fin aplastó la colilla y agitó la cabeza dubitativo.

—Aun teniendo el dinero, que el país lo tiene —admitió—. Se necesitaría un ejército de técnicos agrícolas para llevar a cabo una transformación semejante. Y de eso sí que no disponemos...

—¡Oh, vamos, «coronel»...! —protestó ella como si estuviera él tratando de tomarle el pelo—. Sabe muy bien que en Europa sobran técnicos agrícolas que estarían encantados de venir a Venezuela... Y sus Gobiernos estarían aún más encantados por quitárselos de encima una temporada... Allá, todo lo grande que había que hacer en agricultura ya está hecho...

—Aquí no, desde luego... —aceptó León Plaza—. Aquí, en ese terreno, todo han sido fracasos... En realidad, nunca encaramos el problema y, como dijo el Presidente en su discurso de toma de posesión: «En agricultura, debemos partir de cero, porque la agricultura venezolana tiene enferma el alma.» —Hizo una leve pausa, que aprovechó para admirar una vez más la perfección del cuerpo ya bronceado por el sol del trópico que se le ofrecía tan próximo. Realmente, aquélla era una mujer fuera de serie—. Y tenía razón —añadió—. Yo, que vivo el tema de cerca, lo sé muy bien... En agricultura y ganadería, nuestro dinero jamás nos ha servido para nada. Los beneficios del petróleo se han ido invirtiendo en áreas que no producen más que un bienestar ficticio, perecedero a corto plazo, y que no dejará nada a nuestros descendientes... La tierra está hoy más desatendida que cuando perforaron el primer pozo de petróleo...

—Tal vez los «módulos» y un estudio inteligente del

problema significaría esa posibilidad de «partir de cero».

—Tal vez... —el general parecía ausente, meditando en las posibilidades del campo. Al fin salió de su abstracción e hizo un ademán hacia la gran cabaña que ocupaba todo el rincón del fondo de la piscina, y de la que emanaba un apetitoso olor a carne asada al fuego de carbón—. ¿Ya almorzó...? —inquirió.

—No. Aún no.

—¿Acepta que la invite? —Se le notaba un tanto retraído, como si temiera ser malentendido—. Me encantaría seguir charlando del tema, si no le aburre...

Media hora después, instalados ante dos enormes filetes a la brasa y dos cervezas heladas, el general se extendió sobre una problemática que le afectaba personalmente.

—El mal proviene —señaló— de que los ingresos del petróleo nunca han disminuido, sino que, por el contrario, han ido aumentando, con lo que descuidamos lo demás. Pero las inversiones en el campo han sido ínfimas, mientras se prodigaban en las ciudades. El resultado fue, y ocurrió en mi familia entre muchas otras, que los campesinos, asediados por la miseria y por unas tierras agotadas y mal explotadas, las abandonaron para acudir a las ciudades en busca de trabajo.

—Es un proceso lógico —admitió ella, e hizo una pausa para beber lentamente su cerveza—. Lo que tiene que procurar ahora es invertir en escuelas, dispensarios, entretenimiento y mejoras de la infraestructura campesina.

—¿Sabe el esfuerzo que eso exigiría...?

—Sí, desde luego, pero si no lo hacen, dentro de diez años se tendrán que comer los dólares que guarden en los Bancos, pues, según las predicciones de la

F.A.O., pronto llegará el día en que nadie pueda comprar alimentos, porque ningún país tendrá alimentos que vender... El índice de producción de alimentos debería crecer en más de un cuatro por ciento anual, y apenas supera el dos por ciento... Venezuela comerá billetes y petróleo crudo...

El general León Plaza se detuvo en su ademán de llevarse el tenedor a la boca y la observó francamente admirado.

—Nunca conocí a una mujer como usted —señaló—. Por lo general, esos temas no suelen interesarles...

Anne-Marie de Villard estalló en una corta carcajada divertida, que tuvo la virtud de encantar aún más a su interlocutor.

—¡Oh vamos, «coronel»! —exclamó—. No sé si tomarlo como un cumplido u ofenderme... ¿Por qué los hombres tienen que creer siempre que son los únicos que en verdad se interesan por las cosas...? Le apuesto a que sé más sobre Venezuela que usted... —Hizo una pausa—. Recuerde que mi esposo... mi ex esposo —se corrigió— escribió un libro muy importante sobre el continente... Y yo acabo de ganar una beca de mi Gobierno para escribir otro...

La boca del general se abrió en una exclamación corta, pero expresiva.

—¡Ah!

La sede de la filial de la Compañía en Caracas ocupaba un inmenso edificio de acero y cristal frente a la autopista del Este y el Ávila.

Rómulo Ramos no podía evitar sentirse impresionado por el aparato de seguridad que rodeaba el inmueble, con sus guardianes armados de metralletas, sus innumerables controles de identidad y sus fríos pasillos de luz fluorescente, más propios de un hospital que de un edificio de oficinas.

Se encaminó directamente a su departamento, y sintió que las piernas le fallaban cuando la secretaria de la entrada le comunicó que le esperaban en la planta ocho.

La planta ocho constituía un lugar temible, al que un ingeniero no solía subir más que para ser entrevistado cuando entraba en la firma o para recibir un reloj de oro con el nombre grabado, en el momento de jubilarse.

Comprendió que había palidecido, pero se esforzó por conservar su presencia de ánimo y evitar que la secretaria, a la que había intentando llevarse a cenar y a la cama en un par de ocasiones, advirtiera su miedo.

Bajó hasta la entrada sintiendo un nudo en la garganta y tomó el ascensor especial, y superprotegido, que subía directamente al piso de los «jefes».

Allí todo era noble: las paredes blancas y las puertas de acero, habían dado paso a paneles de maderas costosas y puertas de caoba maciza, mientras el suelo, hasta el último pasillo o retrete, aparecía alfombrado de gris pálido, de pared a pared.

Se anunció al guardia armado de la entrada que consultó una lista y le entregó una escarapela que decía «Presidencia». Luego señaló a la derecha.

—Siga por ese pasillo. Última puerta al fondo.

Hizo lo que le ordenaba y por el camino no pudo evitar bajar la cabeza para cerciorarse de que, en efecto, llevaba sobre el pecho el rótulo de «Presidencia». El hecho de que W. J. Stone quisiera verle, le desconcertaba de tal modo que no podía acertar con una sola idea sobre la razón de semejante entrevista.

La secretaria privada del presidente general de la Compañía para América Latina le sonrió mecánicamente, se inclinó sobre la mesa y habló ante un micrófono oculto:

—¡El señor Rómulo Ramos...!

Se escuchó un «clic», y la gran puerta del fondo se abrió por sí sola, accionada desde dentro.

W. J. Stone, tal como le había visto en docenas de fotos y en los noticieros o la televisión, apareció ante él, parapetado tras la más gigantesca y costosa mesa que jamás hubiera visto en su vida.

Por unos instantes creyó que iba a desmayarse, y tuvo que hacer un esfuero por mantenerse sobre sus piernas. No resultaba lógico imaginar que el presidente se hubiera molestado en mandarle llamar para comunicarle que quedaba despedido, pero un terror irracional se había apoderado de todo su ser ante la sola idea de enfrentarse, cara a cara, con el hombre al que culpaba íntimamente de sus fracasos profesionales.

Por último, ante la insistente invitación de Stone, se decidió a avanzar.

—¡Buenos días, señor...! —balbució.

—¡Buenos días, Ramos! Tome asiento, por favor.

Tomó asiento. Como la mayoría de los altos ejecutivos norteamericanos, Stone tenía la fea costumbre de colocar a sus interlocutores en sillones más bajos que el suyo, para dominarlos de ese modo y obligarles a sentirse inconscientemente inferiores.

Le tendió una cigarrera de oro.

—¿Fuma...?

Aceptó, y aceptó el encendedor de oro que le ofreció a continuación. Fumaron unos instantes en silencio, observándose. Luego, calmosamente, el presidente sentenció.

—Va usted a dejar de trabajar en la compañía, Ramos...

La sangre huyó violentamente hacia sus pies, el cigarrillo le tembló en la mano, y le sobrevino un acceso de tos incontenible.

—¡Pero, señor...! —casi sollozó—. ¡Después de tantos años!

—Por eso mismo, Ramos... Después de tantos años es hora de que reciba una recompensa por sus servicios... —sonrió tranquilizador—. No se preocupe... Dejará la compañía oficialmente, porque hemos decidido asignarle una misión de enorme responsabilidad... —hizo una pausa—. Me complace comunicarle que ha sido usted seleccionado entre más de quinientos empleados. Ocupará dentro de nuestra organización el puesto más importante que haya ocupado nunca un venezolano...

Advirtió cómo, gota a gota, la sangre regresaba a su rostro. Se calmaron el temblor de su mano y el incontenible estremecimiento de sus rodillas.

—Muchas gracias, señor... ¡Muchísimas gracias! Pero no entiendo...

—Intentaré explicárselo en pocas palabras... —le atajó el otro con presteza—. Necesitamos una persona, venezolana, conocedora del negocio del petróleo en todos sus detalles y de absoluta e indiscutible confianza, que nos sirva de «enlace», o «punto de contacto» con la realidad del pueblo y las autoridades venezolanas... —carraspeó—. Que sepa lo que ocurre, que sea capaz de calibrarlo, y al que, sobre todo, no se le considere directamente ligado a nosotros...

—¿Un espía?

W. J. Stone hizo un ademán con las manos, como queriendo alejar de sí semejante concepto.

—¡Por Dios, Ramos...! —protestó—. No es eso en absoluto. Muy por el contrario... Lo que necesitamos es «una punta de lanza».

—¿«Punta de lanza»? —se sorprendió.

—Exactamente... Alguien que, dirigiendo una empresa subsidiaria nuestra, pueda, en un momento determinado, mover una serie de hilos sin tener que depender de nuestro complicado mecanismo administrativo.

Rómulo Ramos era lo suficientemente astuto como para comprender perfectamente lo que W. J. Stone pretendía. Comprendía también que existían ciertos conceptos y determinadas palabras que no debían ser utilizadas, aunque sólo fuera por cuestión de ética. «Espía», «hombre de paja» o «figurón» eran algunas de ellas, y decidió no emplearlas desde el momento que captó la frase: «Dirigir una empresa subsidiaria.»

—¿Qué clase de empresa? —se apresuró a preguntar, yendo directamente al meollo de la cuestión.

—La mejor concesionaria de automóviles de importación... Le proporcionaremos toda clase de permisos para modelos de lujo... —Hizo una pausa, le miró fijamente a los ojos y concluyó—: Usted sabe que no existe nada que interese más a un determinado sector de la sociedad venezolana, que un «carro» fuera de serie.

—Sí —admitió convencido—. Se pueden hacer muy buenas relaciones dando facilidades a la hora de vender ese tipo de autos...

El presidente sonrió visiblemente satisfecho. Se puso en pie, se dirigió a la pared de su derecha, apartó un cuadro y hurgó en la combinación de una caja fuerte empotrada en el muro.

—Me alegra comprobar que lo ha entendido —señaló dándole la espalda mientras buscaba entre los papeles del cofre—. Creo que hemos acertado al seleccionarle.

Cerró de nuevo, colocó el cuadro en su sitio y regresó con una carpeta azul en la mano. Se la extendió por encima de la mesa.

—Aquí encontrará una lista de personas que deseamos que se conviertan en sus futuros clientes. Búsquelos, invítelos y concédales toda clase de facilidades para adquirir cualquier tipo de auto. El que quieran y como quieran... —golpeó repetidamente la mesa con el índice, como queriendo recalcar sus intenciones—. Lo que importa no son los «carros». Tampoco conviene que puedan pensar que intentamos presionarles por el dinero que nos deban... ¡En absoluto! —sentenció—. Lo único que nos interesa es su amistad... Es decir —aclaró—, que usted pueda considerarlos «sus amigos»...

Rómulo Ramos, que había abierto la carpeta y examinaba muy por encima la lista de nombres, alzó el rostro, observó al norteamericano y sonrió con ironía:

—Si consigo hacerme amigo nada más que de la

cuarta parte de los que están aquí, seré el hombre mejor relacionado del país.

—Eso es lo que pretendemos... —admitió el otro—. Un veinticinco por ciento lo consideraríamos un éxito notable...

Dio la vuelta en torno a la mesa, al tiempo que le extendía la mano.

—Brown, mi ayudante, le dará más detalles. ¡Adiós y buen trabajo!

Ya al otro lado de las nobles puertas, en el pasillo alfombrado, Rómulo Ramos apretó contra su pecho la carpeta y estuvo a punto de dar un grito y un salto de alegría.

—¡Lo conseguí...!

Trató de recordar lo que significaba estar enamorado.

Trató de rememorar sus sentimientos respecto a la única mujer a la que realmente conoció en su vida, y se preguntó a solas si aquella especie de asombro que experimentaba al enfrentarse a Anne-Marie de Villard tenía algo en común con su nerviosismo de muchacho inexperto cuando rondaba la calle de Dominique Coiffeur.

Eran otros tiempos y otra edad, lo sabía, pero debía reconocer aunque le molestase, que la timidez era la misma, y le cohibía aquella mujer pese a que jamás le cohibieron los peligros ni le impresionaron los hombres más duros.

Había algo en la belleza de Anne-Marie de Villard que le fascinaba. Eran quizá sus gestos de gran señora, sin una palabra más alta que la otra; con una armonía casi de ballet en sus andares, y unos silencios tan expresivos, que en cada uno de ellos se podían adivinar mil pensamientos.

Todo aquello por lo que él se había preocupado alguna vez en su vida, Anne-Marie parecía conocerlo y dominarlo, desde la problemática del indio americano, indeciso entre adaptarse a una civilización indeseable o adentrarse aún más profundamente en sus selvas milenarias, a la realidad del niño venezolano, hijo ilegítimo en más de la mitad de los casos, abandonado y empujado al camino de la delincuencia en el país considerado por los expertos como el más claro ejemplo de lo que puede llegar a ser «la paternidad irresponsable».

—Esa irresponsabilidad de los padres venezolanos —señaló ella una noche que cenaban a solas en «Tonys»— que no se preocupan en absoluto del destino de los chiquillos que van lanzando al mundo tan alegremente, les echará a ustedes encima dentro de pocos años una masa humana traumatizada, inútil e igualmente irresponsable, a la que nada podrán exigir en justicia, puesto que nada recibieron cuando más lo necesitaban... Muchachos que se crían solos, rodeados de miseria, promiscuidad y fechorías, no aportarán a la nación más que nuevos hijos ilegítimos, igualmente criados en la promiscuidad y la fechoría... Ustedes sufren un aumento anual de más del cuatro por ciento en su índice de criminalidad... Si no le ponen freno; si no inician pronto una campaña de responsabilidad paterna, dentro de quince años, más de la mitad de la población de Venezuela será, posiblemente, delincuente...

Le dolió tener que aceptarlo. En lo más profundo, le dolía admitir que una extranjera supiera más de su propio país que él mismo y que la mayoría de sus compatriotas, y le dolió, sobre todo, advertir cómo aportaba soluciones a muchos problemas venezolanos que él consideró siempre irresolubles.

A la semana de verla a diario, de comer con ella, cenar con ella, o pasar juntos largos ratos tumbados al sol en la piscina, el general León Plaza experimentó por primera vez una confusa sensación de vergüenza. Vergüenza por él y por su gente, y vergüenza por un Gobierno en el que creía y apoyaba, pero que —según las teorías de Anne-Marie de Villard— no hacía más que perder tiempo y tirar a un pozo sin fondo los millones de dólares que producía el petróleo.

—Éste es un país rico —se dijo—. Inmensamente rico, que, a base de trabajar y poner en marcha sus recursos, proporcionaría bienestar a cada uno de sus diez millones de habitantes... Sin embargo, sigue siendo un país atrasado, donde una mínima parte de la población disfruta de beneficios y riqueza sin límite, mientras la mayoría se hunde tanto más, cuanto más ganamos.

«La súbita invasión de la riqueza», llamaban algunos expertos a aquel fenómeno de avalancha arrolladora de dinero desde que, en 1973, el precio del petróleo dio un salto inusitado y sin precedentes. «Invasión de la riqueza», sí..., pero, ¿para quién?

El dinero circulaba..., circulaba en superabundancia, pero iba siempre a parar a las mismas manos, en un trasiego constante de automóviles de lujo, apartamentos de millones de bolívares, cenas en clubs cada vez más sofisticados, yates, caballos de carreras y aviones.

El aeropuerto La Carlota, en el centro mismo de Caracas, albergaba el aeroclub que más avionetas privadas poseía del mundo, incluida la más rica y sofisticada de las ciudades norteamericanas. Con una mínima masa consumidora, Venezuela era, sin embargo, uno de los primeros países importadores de whisky, y el que más consumía *per cápita* pese a que seis de cada ocho venezolanos jamás lo hubieran probado. Todo lo que fuera lujo, derroche y ostentación, crecía allí como la espuma, mientras el campesino o el obrero constataban que la desatada inflación provocada por la desvalorización vertiginosa del dinero le venía alcanzando, puesto que sus jornales jamás crecían en la proporción que subía el coste de vida.

Dólares, dólares y más dólares era lo que Venezuela estaba obteniendo de lo que podía considerarse la época más próspera de su historia y que jamás volvería a presentarse. Pero esos dólares no hacían más que llenar arcas de Bancos hasta convertirse en un auténtico quebradero de cabeza para sus administradores.

León Plaza había leído en los atrasados periódicos que recibía en su hacienda del Llano, que Venezuela prestaba dinero al Banco Mundial, e incluso invertía en otros países, y aunque, en su momento le pareció que ésa era una buena forma de emplear las excesivas ganancias provocadas por el aumento del crudo, Anne-Marie comenzaba a convencerle con sus teorías de que ése no constituía en el fondo un negocio tan bueno como pudiera creerse.

—Son préstamos a largo plazo... —había dicho—. A tan largo plazo que, con la desvalorización mundial de la moneda, cuando os lo devuelvan, estaréis recuperando la mitad de lo que entregasteis.

—No conozco los detalles del préstamo —admitió—, pero supongo que sus condiciones habrán previsto una eventualidad semejante...

A la mañana siguiente telefoneó al ministro, interesándose por los detalles de la operación. Notó una cierta reticencia en la voz de su interlocutor por el hecho de que un militar voluntariamente en excedencia, aunque se tratase del mismo León Plaza, intentara meter la nariz en asuntos que consideraba de la exclusiva incumbencia de su departamento y, en último caso, de la presidencia de la República.

—Tranquilízate León —fue todo lo que le aclaró entre bromas y veras—. No somos «pendejos». Nuestra plata está bien guardada.

«Bien guardada» era, a su entender, la frase que no quería escuchar. Un país viejo, cansado y sedimentado podía y debía guardar bien su dinero, pero una nación nueva y pujante como Venezuela; una nación en la que más de la mitad de la población contaba menos de dieciocho años y pronto necesitaría nuevos empleos en los que ganarse la vida, no tenía derecho a «guardar bien su plata».

Cuando los llanos se quemaban; cuando en agricultura había que partir de cero; cuando las industrias petrolera y minera seguían prácticamente en manos de extranjeros, aunque hubiesen sido nacionalizadas, y cuando una inmensa mayoría de la población podía considerarse analfabeta aunque fuera capaz de leer y escribir su nombre, Venezuela no tenía derecho, a su modo de entender, «a guardar bien su plata».

Por el camino que seguían, ¿qué habrían dejado en herencia a sus hijos, aparte dinero devaluado, y qué dejarían luego sus hijos a sus hijos?

· Los males que corroían al mundo: superpoblación, polución y destrucción masiva de los recursos naturales, estaban afectando de modo muy directo al país, y la crisis estallaba tras siglos de incubarse. Habían recibido una tierra, unos mares y unos ríos enfermos y quebrantados, y resultaba hasta cierto punto sobrecogedor que, tras millones de años de existencia del planeta, le correspondiese ahora a su generación decidir si ese Planeta había de continuar siendo un lugar habitable, o convertirse en el erial de inmundicias, desesperación y fealdad a que parecía condenado.

Desde la noche de los tiempos nada había amenazado a la Tierra, que había ido modificándose y perfeccionándose hasta transformarse en un lugar en que el hombre cazador y el hombre agricultor aprendieron a convivir en relativa paz con la Naturaleza. Pero desde hacía aproximadamente cincuenta años, la aparición en escena del hombre industrial lo cambió todo, y en esa centésima parte del tiempo de la Historia estaba logrando poner en peligro la supervivencia de la raza y la estabilidad del mundo.

Empezaba a estar claro, sin embargo, que aquel tipo de civilización superindustrializada, cuyas únicas metas parecían ser el enriquecimiento rápido y el desarrollo hacia horizontes desconocidos y peligrosos, no tenía futuro.

Al ritmo de crecimiento exponencial que seguían, con un nivel de gasto prácticamente indefinido y unos recursos naturales finitos, antes de cuarenta años ya no existirían materias primas con las que alimentar aquella loca «cultura del desecho», y habría que regresar a los valores que debieran considerarse eternos: a la tierra y sus productos; al cuidado de la riqueza de los mares; a una más inteligente planificación de las reservas y del futuro.

Y habría que regresar, también, a un control demográfico semejante al que había observado entre las tribus indígenas primitivas, que no permitían jamás que su número aumentase de forma que pusiera en peligro el bienestar común. Esas tribus habían aprendido desde muy antiguo a subsistir en un determinado habitat valiéndose de él, pero sin explotarlo nunca a fondo, teniendo en cuenta que deberían dejarla en idéntico o mejor estado a las generaciones venideras.

Pero ellos, los «civilizados», habían olvidado tiempo atrás dicho concepto de la supervivencia colectiva, y no sólo dejaban su habitat en peores condiciones de lo que lo encontraron, sino que, además, se lo dejaban a un número muy superior de personas.

Si en la actualidad eran casi cuatro mil millones de seres humanos, y más de la mitad pasaban hambre, dentro de un siglo, cuando llegasen a los quince mil millones, tendrían que comerse los unos a los otros, porque la oferta de tierra cultivable —y eso él lo sabía bien— nunca llegaría a multiplicarse por cuatro. Todo lo más, con mucha suerte, podría multiplicarse por dos, utilizando para ello hasta el último rincón y poniendo en marcha planes como el que Anne-Marie proponía para recuperar zonas que, como los Llanos, parecían ahora totalmente estériles.

—Podemos encogernos de hombros —había dicho ella—. Porque, al fin y al cabo, serán las generaciones futuras las que sufrirán y no nosotros. También podemos continuar ciegos como hasta ahora y negarnos a admitir las pruebas que existen. Pero nuestro deber sería enfrentarnos a la realidad, y hacer algo por evitar la catástrofe.

Se preguntó si debería hablar con el presidente y hacerle notar que la política económica, ecológica y social que estaba siguiendo Venezuela les conducía hacia ese desastre, pero abandonó la idea. Conocía bien al presidente. De hecho, había contribuido en mucho a colocarlo en el lugar que ocupaba, le respetaba como hombre íntegro y debía respetar también su forma de actuar, aunque empezara a estar en desacuerdo. Al fin y al cabo, siempre estaría mejor informado de lo que sucedía en Venezuela.

Si había permanecido tanto tiempo encerrado en los Llanos, alejado voluntariamente de todos los problemas, no tenía derecho a irrumpir intempestivamente con nuevas directrices.

Al pensar en Anne-Marie, su imaginación escapó muy lejos; voló a las horas que pasaban juntos; al brillo de sus ojos; a la curva de su sonrisa y a la fascinación que comenzaban a ejercer sobre su organismo aquellos pechos de mármol y aquellas manos largas y delgadas.

La primera vez que bailaron juntos, y se apretó levemente contra él, experimentó de improviso un tirón entre las piernas que le dejó desconcertado ante el temor de que ella pudiera advertirlo.

A sus cincuenta y tres años, había olvidado tiempo atrás lo que significaba una súbita erección espontánea, y los años de soledad le llevaron a la conclusión de que, para él, todo impulso sexual había quedado atrás, si no muerto, al menos voluntariamente adormecido.

Pero de pronto, con una mano en la espalda de ella, palpando la firmeza de su carne y la suavidad de la piel que dejaba al descubierto el generoso escote, se reencontraba a sí mismo treinta años antes, cuando por primera vez llevó a bailar a Dominique.

No podía negar que aquello era lo más agradable que le había sucedido en muchos años, y que junto a Anne-Marie de Villard estaba recuperando no sólo el deseo sexual, sino incluso aquellos placeres que habían formado parte de su vida tiempo atrás, y que desde hacía unos años se esforzaba por olvidar: la cena en un buen restaurante de los que abundaban en Caracas; un vino francés de importación, una película, o unas horas en el «Le Club» de Chacaíto, en el que no había puesto los pies desde quince días antes de la muerte de Dominique.

Era como volver a la vida de improviso, y le enorgullecía advertir que muchos se alegraban de su vuelta y le continuaban recordando con respeto. En los restaurantes, la gente se volvía o se levantaba a estrechar la mano del que fuera un día el militar más poderoso del país. Cuando bailaba, sorprendía la mirada de los hombres admirados de la mujer que le acompañaba, o los cuchicheos de los corros sorprendidos por que el viejo León hubiera vuelto. Generales y coroneles se ponían a sus órdenes apenas le reconocían, y los jóvenes oficiales parecían incrédulos ante el hecho de que aquel hombre joven y fuerte, fuese, en realidad, el mítico general León Plaza.

Los Llanos, su calor, su sequía y su «agua grande»; Cándida con sus mil veces repetidas arepas, caraotas negras y cerveza caliente; los caballos fugitivos; las vacas que morían y hasta los desgraciados indios «cuibá» escondidos en su vaguada, comenzaron a quedar atrás y, a medida que pasaban los días, la presencia de Anne-Marie se le hizo hasta tal punto imprescindible, que no quiso siquiera imaginar por un instante que pudiera marcharse.

Noemí Atienza era virgen.

La virginidad de Noemí Atienza era una de las más comprobadas de Caracas, o al menos, del Palacio Presidencial de Miraflores, en el que desde hacía cuatro años prestaba sus servicios como eficiente y activa secretaria de confianza.

Más de dos docenas de hombres y algunas mujeres, habían podido constatar, sin lugar a dudas, que a sus veintitrés años, Noemí Atienza era un caso de excepcional perseverancia en su deseo de mantener intacta su virginidad. Y esas comprobaciones se habían hecho en una cama, un automóvil, el campo o, simplemente, un despacho después de las horas de oficina.

Porque, salvo en lo que se refería al hecho físico y material de la virginidad, Noemí Atienza era, con su aspecto inocente, la más hipócrita viciosa de Miraflores, Caracas y aun del país, desde las cumbres del Pico Bolívar a los pantanos del Delta Amacuro.

Con facciones achinadas, ojos rasgados y misteriosos, una larga cabellera negra que le caía hasta media espalda, senos menudos y firmes y, en especial, la piel más suave y provocativa que la Naturaleza hubiese creado nunca, Noemí Atienza era una secretaria de Palacio inadvertida para quien cruzase a su lado, pero obsesionante para quien hubiera disfrutado de dos horas del «trabajo», inaudito por su delicadeza, de sus hábiles dedos y su cálida boca.

Nadie en la ciudad tenía una idea muy clara de para quién o para qué conservaba su virginidad Noemí. Malas lenguas aseguraban que ése era en realidad su mejor cebo, y que muchos hombres que jamás se hubieran aproximado a ella en circunstancias normales, la buscaban por tentar la suerte y presumir de haber conseguido «desvirgarla».

Quizá de ese modo caían en sus manos, y una vez habían disfrutado del inconcebible placer de acariciar aquella piel única, y aceptar lo que Noemí ofrecía a cambio de una relación normal en la que nunca consentía, les resultaba muy difícil apartarse de ella.

De tanto en tanto, Noemí tenía o fingía tener un orgasmo, pero nadie se sentía capaz de jurar con la mano en el fuego que no había sido más que otra patraña de la inmensa mentira que parecía constituir la absurda vida sexual de Noemí Atienza.

Fuera de ello y de que, por cama o por trabajo, conocía a todo el mundo en Presidencia, Noemí Atienza era una funcionaria eficiente con la que podía contar para cualquier tarea a cualquier hora del día o de la noche. Seria, discreta, rápida y perceptiva, sus jefes abrigaban la absoluta certeza de que cuanto se dijese ante ella o pasase por sus manos, permanecería en la más absoluta reserva, pues, ni con sus compañeros de trabajo, ni con sus eventuales «amantes» comentaba jamás una palabra.

En realidad, cuanto escuchaba, veía o le sonsacaba a los hombres o mujeres que pasaban con ella algunas horas de «esparcimiento», aquella pequeña serpiente de dos cabezas no se lo contaba más que al secretario de Embajada, Hassán Ibn-Aziz, previo abono de dos mil bolívares en efectivo, y cinco mil si la noticia que había obtenido interesaba de un modo particular a las naciones árabes que formaban, junto con Venezuela la Organización de Países Exportadores de Petróleo, más conocida por las siglas OPEP.

Para los dirigentes de la OPEP, Venezuela constituía un eslabón de suma importancia en la cadena monopolista con que habían atenazado el mundo occidental desde la subida de los precios del petróleo cuatro años antes y, probablemente, su único eslabón significativo no dominado por la influencia musulmana. Y eso era algo que, en el fondo, les mantenía preocupados.

Venezuela había sido la virtual creadora de la OPEP, y, uno de sus mejores cerebros: Juan Pablo Pérez-Afonso, el que iniciara la difícil tarea de unir a los Países Productores de Petróleo en un frente común. Eso les permitió luchar contra las naciones industrialmente más desarrolladas, que hasta ese momento obtenían la vital energía a precios absurdamente bajos por el sencillo sistema de fomentar la discordia entre los productores.

Ahora, y por precaución, los restantes miembros de la OPEP se esforzaban por mantenerse informados sobre la intención de las autoridades venezolanas de continuar dentro del seno de la Organización, para no despertarse un día con la desagradable sorpresa de que el feroz monopolio que ejercían sobre el resto del mundo, se resquebrajaba por uno de sus pilares.

Bajo su apariencia de simple secretario de Embajada sin otros méritos que ser hijo de un influyente jeque, Hassán Ibn-Aziz ejercía, en realidad, funciones de máxima responsabilidad en defensa de los intereses de la OPEP y, sobre todo, de sus hermanos de raza y religión.

Con su aspecto de *play-boy* derrochador y algo estúpido, que no parecía interesarse más que por pasear en yate y acostarse con el mayor número posible de muchachas, Hassán Ibn-Aziz había logrado establecer una magnífica red de información en Caracas y Maracaibo, y se encontraba al tanto de todo cuanto se hacía, decía, o pensaba en Venezuela en torno al complicado negocio del petróleo.

Y de entre todos sus informadores, Noemí Atienza era, a su modo de ver, una de las más competentes por su habilidad para repetir, palabra por palabra, todo cuanto hubiesen dicho delante de ella en el último mes, en español, inglés o francés.

Tan fría como en la cama, tan inexpresiva y tan calculadora, Noemí Atienza, con un cuarto de sangre guajira en las venas, quizás otro cuarto de sangre china, y algunas gotas de tinte negro de Barlovento en la mitad que le quedaba, había heredado moralmente lo peor de cada raza, de las que constituía una especie de subproducto de desecho.

Lo que pocos sabían, era que Noemí Atienza nació de madre puta y padre desconocido en una de las peores callejuelas del barrio de Petare, y había visto transcurrir su adolescencia friendo arepas en un «botiquín» para camioneros de la carretera de Guarenas, con una temperatura media de cuarenta y cinco grados en una cocinucha sin ventilación. Tan sólo su inquebrantable fuerza de voluntad, su retorcida astucia y su brillante inteligencia natural, le evitaron concluir como concluyera su madre: aplastada por un camión al que se le rompió el eje cuando se encontraba debajo, haciéndole un «servicio» al camionero.

Ahora Noemí Atienza vivía en un apartamentito —con aire acondicionado, que era todo su lujo— a tres cuadras de Palacio. Iba a pie al trabajo, no comía fuera más que cuando la invitaban, jamás se compraba un traje que no estuviera en rebajas, y poseía tres cuentas en tres Bancos distintos, con cerca de doscientos mil bolívares en cada una de ellas.

Se había propuesto conseguir un millón, y marchar a Europa como la hija inocente y pura de unos acomodados venezolanos muertos en accidente.

Encontraría un marido rico y jamás volvería a Caracas.

Hassán Ibn-Aziz y Noemí se reunían cada domingo en un pequeño apartamento de un alto edificio de la Urbanización Los Palos Grandes. Noemí lo había escogido porque dos pisos más abajo vivía una de sus pocas parientes, una tía medio loca a la que siempre visitaba. Luego subía por la escalera y le daba a Hassán —que entraba directamente desde el garaje— las novedades de cuanto había ocurrido durante la semana en el Palacio de Miraflores.

Noemí extremaba sus precauciones desde la muerte de Aníbal Navarro, el prestigioso dirigente de Acción Democrática, que advirtiera en una reunión del Partido que, de cara a las elecciones, la actual política internacional del Gobierno restaría votos al candidato que los representase.

—Una nueva subida del petróleo nos enemistará con Europa —señaló—. Y no debemos olvidar que un gran número de nuestros electores son italianos, españoles, franceses, portugueses y alemanes, llegados aquí durante la época perezjimenista... Están nacionalizados, tienen derecho a voto, y la mayoría de sus hijos y sus esposas también... No verán con buenos ojos que su país adoptivo se dedique a arruinar a sus parientes que continúan en Europa... Si vinieron aquí como emigrantes, quiere decir que son de origen humilde... Los que ahora están sufriendo con una carestía de la que sus gobiernos acusan a la OPEP.

—¿Qué dijo el presidente? —quiso saber inmediatamente Hassán cuando Noemí se lo contó.

—El presidente no asiste a esas reuniones —aclaró—. Pero Teófilo Irigoyen señaló que nuestra política petrolera no puede depender, en absoluto, de la política electiva del partido.

—Bien dicho... —El libio pareció tranquilizarse.

—Sin embargo, Navarro amenazó con plantear el asunto en el próximo Pleno. A su modo de ver, más vale que Acción Democrática continúe dominando un país menos rico a que sea la oposición la que, durante el próximo período, mande en una Venezuela supermillonaria... ¿Quién les arrebataría entonces el poder...?

Hassán Ibn-Aziz no hizo comentario alguno. Se limitó a tomar nota según un códico secreto que, al parecer, tan sólo él era capaz de descifrar, le entregó a Noemí cinco mil bolívares, y se fue.

Cuatro días más tarde, Noemí Atienza sufrió un sobresalto cuando la primera página de *El Nacional* destacó, con enormes titulares, la muerte, en estúpido accidente, de Aníbal Navarro, que se había precipitado, borracho, por uno de los viaductos de la autopista de La Guaira. Al parecer, se dirigía a un discreto hotel del litoral a pasar la noche con una muchachita no identificada.

Noemí no hizo comentario alguno, y tan sólo al fin de su reunión con Hassán Ibn-Aziz, al domingo siguiente, señaló de pasada:

—La muerte de Navarro se me antojaría más lógica si, en lugar de llevar en el coche a una puta, hubiera ido con un «travesti»... Es un error que puede hacer que la Policía investigue y que se habría evitado con una buena información...

Tendida en la cama, boca abajo, acariciando y besando a León Plaza que dormitaba satisfecho, Anne-Marie de Villard se preguntó, asombrada, cómo era posible que hubiese necesitado treinta y ocho años para descubrir lo que significaba la locura sexual.

Jamás se había considerado una mujer anormal, ni desatendida. Su vida afectiva durante casi veinte años de matrimonio podía considerarse satisfactoria e incluso apasionada, y siempre juzgó a Gérard un buen amante, experto, intuitivo y sensible, que sabía proporcionarle placer de modos muy diversos.

Nunca tuvo quejas, como muchas de sus amigas; no sintió curiosidad por nuevas experiencias, ni le pasó por la mente que pudiera existir algo más allá de los orgasmos prolongados y dulces a los que le conducía, con naturalidad y delicadeza, su marido.

En alguna ocasión recordaba haber gritado en el momento cumbre, e incluso arañó instintivamente la cara de Gérard la primera vez que éste le produjo un asombroso placer tan sólo con besarla, pero nunca, ni remotamente, recordaba haber rasgado las sábanas, clavado los dedos desesperadamente en la espalda del hombre, ni imaginado que iba a perder el sentido como si una manada de caballos la estuviera pisoteando.

Ésa era, a su modo de ver, la forma más clara de representar gráficamente el placer que había sentido. León Plaza no la poseía como un simple hombre, sino con la furia, el ardor y la violencia con que podría haberla montado uno de los caballos de su hacienda.

Había algo de animal y salvaje en aquel hombre a la hora de hacer el amor. Una especie de loca desesperación o primitivismo, sin refinamientos, técnica ni delicadeza, pero con una brutalidad auténtica e incansable, que constituía el elemento nuevo y desgarrador que venía a desbancar todos los conceptos sexuales de Anne-Marie de Villard.

Con un íntimo sentimiento de culpabilidad, descubrió de improviso que Gérard, los chicos y cuanto significaba algo en su vida, aparecía como cubierto por un cristal traslúcido, comenzaba a alejarse inexplicablemente y pugnaba por convertise en pasado de la noche a la mañana.

Se aferró a la idea de que se trataba de una sensación pasajera fruto del trauma de haber sido poseída hasta la extenuación por un hombre nuevo, pero se preguntó qué ocurriría si ese hombre nuevo se convertía, como sospechaba, en lo único que le importaría de ahora en adelante.

¿Podría seguir fingiendo?

Tras dos semanas de pasar a su lado casi todas las horas del día y aun de la noche, Anne-Marie de Villard había llegado al convencimiento de que el general León Plaza no era la clase de hombres a los que se les convence para que traicionen a quienes depositaron en él su confianza.

Ni por amor a ella, si es que llegaba a enamorarse, ni mucho menos por ambición, ya que León Plaza no tenía ambiciones. Christian lo aseguró desde el primer momento; los «expertos» lo habían repetido, y ella misma tuvo ocasiones de comprobarlo en aquel tiempo. Ni el dinero, ni la adulación, ni el ansia de poder que corrompía a tantos, interesaban en absoluto a un hom-

bre que había invertido su dinero en tierras semiesté-
riles, que había sufrido ya adulaciones sin cuento y
que había disfrutado de un poder casi dictatorial en
un determinado momento de la historia de su país.

No quedaba, y lo sabía, más camino que el del convencimiento. Como había dicho Christian Anclair-Lan-
geais: «Demostrarle que constituye la única esperanza de Venezuela y Europa.»

—¿Cómo admitir algo semejante...? —había protestado Gérard aquella primera noche, cuando a solas los
tres, contemplaban el fuego de la chimenea bebiendo
muy despacio el coñac «reserva-especial» de la vieja
mansión.

—¡Es la verdad...! —insistía tozudamente Christian—. Europa se encuentra al borde del abismo...
En las últimas elecciones, tanto Francia como Italia
se libraron del comunismo por muy escaso margen de
votos e Inglaterra se arruina... Otro aumento importante del precio del petróleo, y la crisis económica
acabará por hundir al continente... Nuevas fábricas
y empresas quebrarán; miles de personas se quedarán
sin empleo. En las próximas elecciones, la gente se in-
clinará hacia el comunismo, aunque sea para obligar
a los rusos a que nos envíen petróleo con el que no
morir de frío...

—Estados Unidos no permitirán que Europa se
vuelva comunista —protestó Gérard—. Significaría
condenarse a sí mismos.

Christian Auclair-Langeais tardó en responder más
que de costumbre. Se sirvió coñac hasta mediar su
enorme copa, y observó, sin un pestañeo, a sus dos
invitados. Por último, habló muy despacio, dejando
caer las palabras, seguro del efecto que iban a causar:

—Han sido los Estados Unidos los que, consciente
y fríamente, nos han llevado a esta situación. Buscaban

arruinarnos, y lo han conseguido.

—¡No puedo creerlo...! —La protesta era sincera.

—Pues créelo, Gérard... ¡Créelo! —insistió—. Tenemos pruebas. A principio de los años sesenta, cuando Europa y Japón se encontraban en plena transformación de sus fuentes de energía para sustituir el carbón, se iniciaron estudios que nos llevaron a querer cambiar nuestras tradicionales plantas de energía eléctrica, por centrales nucleares... Por el camino que íbamos, podíamos haber encontrado soluciones simples a los riesgos de la energía nuclear en el término de unos años...

—Siempre he entendido que esa energía aún es muy peligrosa —intervino Anne-Marie—. Un accidente...

—La posibilidad de un accidente en una planta de energía nuclear es de uno entre trescientos millones, mientras las posibilidades de un accidente automovilístico, de uno entre cuatro mil. Y llevábamos camino de solucionar el problema de los residuos contaminantes. —«Monsieur le Ministre» bebió su coñac de un sorbo, como tratando de desfogar su rabia—. ¡El peligro atómico de las centrales Nucleares no es más que una criminal campaña promovida por quienes no querían que las tuviéramos!

—¿Existen evidencias?

—¡Todas las que quieras...! Para redondear la jugada, las Compañías petroleras bajaron el precio del fueloil en más de un cincuenta por ciento entre 1965 y 1969. De esa forma acabaron por convencer a nuestros Gobiernos de que olvidaran los planes de plantas nucleares y se abastecieron, únicamente, de una energía barata y cómoda, como era el petróleo. Prometieron, además, que nunca faltaría...

—¿Quieres decir que todo fue una trampa...?

—La más canallesca, hábil y productiva trampa de

la historia de la Humanidad —afirmó—. Lograron que todos los países competidores industrialmente pasaran a depender de un producto que ellos dominaban a través de sus grandes empresas...

—Pero los norteamericanos también están sufriendo las consecuencias del aumento de los precios del petróleo...

—¡Mentira! —exclamó casi exaltado—. Tenemos pruebas irrefutables de que los Estados Unidos alentaron las subidas del precio del petróleo concertando un acuerdo secreto con los países árabes, según el cual, ellos no pagarían ese precio. Además, obligan a los árabes a dirigir hacia los Estados Unidos el ochenta por ciento de sus inversiones en el extranjero... De ese modo, nos desangra y se fortalecen.

—Es una acusación terrible...

—Pero cierta. Fue la administración Nixon la que puso en marcha el plan propiciando los aumentos de precio a partir de 1971. Desde que supieron, positivamente, que estábamos en sus manos... Existe copia de una carta del ministro de Petróleo de Arabia Saudí, al secretario del Tesoro, William Simon... Kissinger fue uno de los principales inspiradores de la jugada...

Anne-Marie y Gérard de Villard habían permanecido desconcertados por la asombrosa revelación que acababa de hacerles un hombre del que no podían dudar. Aceptar que el país más rico de la tierra, que se consideraba a sí mismo defensor de la libertad y los derechos de la Humanidad, pudiera actuar de modo tan canallesco con sus tradicionales amigos y aliados, resultaba no sólo indignante, sino, sobre todo, descorazonador. Enriquecerse a costa del trabajo de millones de seres, precipitándolos en el hambre y la ruina mientras se continuaba tendiendo la mano hipócritamente con promesas de amistad, resultaba peor y más

odioso que la mismísima furia homicida del nazismo
hitleriano, que, al menos, se lanzó a matar y morir
dando la cara en defensa de unos ideales, por execra-
bles que fueran.

—Me cuesta trabajo admitir que los norteamericanos sean capaces de algo así...

—No son los norteamericanos... —puntualizó Christian—. Tan sólo «algunos norteamericanos»... Nixon
ya está purgando el mal que hizo, pero eso a nosotros
no nos salva... Las grandes compañías continúan teniendo la sartén por el mango, y dudamos que Carter,
por grande que sea su buena voluntad, pueda derrotarlas... Una sola de esas compañías ganó el año pasado más de dos mil millones de dólares... ¡Dos mil
millones de dólares ¿Podéis formaros una idea de lo
que es eso? ¿Podéis imaginar cuántos congresistas,
senadores o periodistas pueden comprarse con tanto
dinero...? Y son siete las Compañías, no lo olvidéis...
Siete, que no abandonarán su presa, ni ante el presidente Carter, ni ante el mismísimo Dios que se les pre-
sentase en carne y hueso...

—¿Y supones que este plan va a derrotarlas?

—Es nuestra última esperanza... —dijo, y luego,
seriamente, añadió—. Aunque debo advertir que, cada
vez que alguien ha intentado oponérseles, ha muerto...
El último importante, Enrico Mattei, un ministro del
petróleo italiano, que advirtió antes que nadie lo que
ocurriría si llegábamos a depender de las Compañías.
Lo asesinaron colocando una bomba en su avión...

—Lo recuerdo...

—Fue el único que intentó hacernos comprender
que íbamos hacia una trampa. Desaparecido él, las
grandes compañías favorecieron secretamente la creación de la Organización de Países Exportadores de Petróleo para formar un bloque homogéneo con el que

conseguir aumentos en el precio del crudo sin miedo a que nadie escapara a su control.

—Pero ahora la OPEP parece haberse vuelto contra ellos. Algunos países han nacionalizado su petróleo. Venezuela, por ejemplo...

—Eso no les preocupa... Las nacionalizaciones no son más que medidas demagógicas. En el fondo, siguen siendo los dueños de la comercialización del producto... Las técnicas de extracción, la maquinaria de perforación, los barcos, las refinerías e incluso los surtidores de gasolina de cada esquina son suyos... —Hizo una pausa—. Los gobiernos de los países productores de petróleo saben que no pueden romper bruscamente los contratos que les unen a esas compañías sin correr el riesgo de que, al día siguiente, los «Marines» desembarquen en sus costas, derriben al Gobierno, y pongan en el sillón presidencial o en el trono a un general títere, dispuesto a obedecer las órdenes de Washington.

—¿Y por qué habría de ser diferente si conseguimos algo...?

—Porque Washington se lo pensará mucho antes de enviar sus «Marines» a unas costas en las que se encuentran la escuadra inglesa, la escuadra italiana, la escuadra holandesa, la escuadra francesa y, en definitiva, las de todos aquellos países que no están dispuestos a dejar que los aniquilen sin mover un dedo.

—Podría significar el inicio de una guerra mundial...

—Lo sabemos. Por eso no lo habíamos intentado. Pero con Carter en la presidencia, confiamos en que no ocurra nada...

—Carter es aún una incógnita. Lleva muy poco tiempo en el poder.

—Estamos dispuestos a correr el riesgo —fue la decidida respuesta.

La fiesta de inauguración de las oficinas y los inmensos salones de exposición de «AUTOS RÓMULO RAMOS», en el mejor local de la «Urbanización las Mercedes», constituyó el acontecimiento social del año.

Todo el que era «alguien» en la ciudad fue invitado, y corrió el whisky, el champán y el ron como no se recordaba que hubiera corrido desde los tiempos de la puesta de largo de la niña de los Benalmádena, en el «Country», seis años antes.

Los autos —los «carros»— brillaban como *vedettes* alzados en el centro de gigantescas plataformas en las que se podía comer y beber todo cuanto se apeteciera y dentro de cada auto, una preciosa muchacha mostraba a los posibles clientes, que subían por una pequeña escalera, las características del modelo.

Los había para todos los gustos, desde la más sofisticada berlina americana para ejecutivos, al más espectacular deportivo europeo, que atraía lógicamente la atención de los jóvenes «hijos de papá».

Cada plataforma, con su coche encima, giraba muy despacio, y un juego de luces inteligentemente escogido resaltaba los detalles y los colores. Al fondo del salón, una orquesta tocaba una música suave que animaba sin impedir la charla ni acallar las exclamaciones de elogio y admiración de los invitados que iban llegando.

Hassán Ibn-Aziz, al que acompañaba como siempre una Miss de turno, radiante y escotadísima, dio ejemplo decidiéndose el primero por un «Porsche», que pagó al contado con un cheque que extendió allí mismo a nombre de Rómulo Ramos. Para no ser menos, un ex presentador de Televisión en decadencia, se apresuró a declarar en voz muy alta que se quedaba con el más caro de los «Rolls» exhibidos, pues ya le aburrían los tres que tenía en casa.

Todo el mundo sabía que, en efecto, los tenía, y no era el único. En Caracas se contaban por docenas las personas que, habiendo hecho fortuna por los más absurdos medios, presumían de contar con una docena de automóviles de los más caros del mercado. Normalmente, las cocheras solían alzarse a la entrada de las recargadas mansiones para que el visitante pudiera asombrarse, antes ya de cruzar el umbral, de semejante derroche de millones. Que a doscientos metros de esa mansión se alzase un cerro cubierto de «ranchos» de lata y cartón donde las gentes se hacinaban en una promiscuidad y una forma de vida infrahumanas, no parecía tener mayor importancia. Para muchos venezolanos, cambiar de «carro» según las horas del día constituía una necesidad casi vital.

W. J. Stone demostró conocer bien la idiosincrasia de la clase pudiente criolla, cuando eligió la actividad que debería desenvolver Rómulo Ramos en el seno de la sociedad caraqueña. Los autos de lujo, los yates que se apiñaban en Puerto Azul y Caraballeda, y las avionetas de La Carlota, constituían el punto flaco por el que introducirse fácilmente en «sociedad».

A las tres horas de abrir las puertas de su local, Rómulo Ramos, un perfecto desconocido hasta ese día, se había convertido en un tipo popular por el sencillo procedimiento de conceder créditos a largo plazo. A todos los de la lista de Stone que se interesaban por un determinado automóvil, les proporcionaba, al mismo tiempo, algún que otro número de teléfono de las señoritas presentadoras.

—Llámame mañana, y te enviaré a la trigueña con el «Mercedes» azul... Os vais a probarlo al litoral, te lo quedas un par de días y, si te gusta, me lo pagas como quieras... ¡Ah! Si vas al «Macuto Sheraton», que me envíen la cuenta... ¡Nada hermano...! A mandar...

Cuando en la puerta hicieron su aparición los generales León Plaza y Arístides Ungría, acompañados por la esposa del segundo, y la extraordinaria dama francesa de la que hablaba en aquellos días la ciudad, Rómulo Ramos corrió a recibirlos.

Una vez más inició el circuito del salón, cantando las alabanzas de sus modelos y ofreciendo toda clase de facilidades sin más garantía que sus nombres.

A León Plaza le molestó desde el primer momento la untuosidad de aquel hombrecillo servicial y zalamero. Instintivamente, advirtió que había algo en él que le repelía, y se arrepintió de haber aceptado la invitación de Ungría a acudir a una fiesta a las que era, desde siempre, alérgico por naturaleza. Únicamente la idea de que tal vez a Anne-Marie le pudiera agradar conocer al «Todo Caracas» que estaría allí aquella noche, y la promesa de Arístides de cenar después en el «Caruso», le animó a aceptar.

—Creo que pierde el tiempo conmigo... —señaló cuando ya habían admirado cuatro autos—. Un sueldo de general no da para un «carro» de éstos ni pagándolo durante toda la vida...

—Al general León Plaza se le puede fiar por toda la vida —fue la servil respuesta—. Dígame cómo quiere pagarlo y... trato hecho.

—¿Y qué quiere que haga yo en el llano con un

«Ferrari»? ¿Perseguir caballos?

Hassán Ibn-Aziz, aparentemente absorto por los detalles del lujoso deportivo que acababa de adquirir, no perdía de vista, sin embargo, al grupo, sorprendido tal vez por la solicitud de Rómulo Ramos hacia los recién llegados.

Su natural desconfianza, fruto probablemente de un hábito creado por su profesión, le hacían intuir que algo raro sucedía con un vendedor de automóviles que dedicaba tanta atención a un militar con aspecto de no querer comprar.

—Es León Plaza, ¿verdad? —inquirió volviéndose a la provocativa muchacha que le acompañaba.

Ella asintió en silencio, y luego, sin demasiado interés, añadió:

—Su esposa era muy amiga de mi madre. Antes siempre venía por casa, pero desde que ella murió no ha vuelto.

—Preséntamelo.

Le observó con una cierta sorpresa. Probablemente no comprendía que un hombre que tuviera la suerte de pasar la noche con la más firme candidata al título de «Miss Venezuela», pudiera sentir interés por otra persona:

—¿Que te lo presente? ¿Para qué?

No cabía duda de que la mente de Hassán Ibn-Aziz funcionaba con rapidez. Su respuesta fue la más acertada que pudo elegir:

—Conociendo este país, apuesto a que el general León Plaza y esa francesa serán elegidos miembros del jurado del Concurso de Miss Venezuela... Si lográramos invitarles a cenar y te trataran, tendrías...

Como por ensalmo, la apática muchacha desplegó todo su encanto, echó mano a la vieja amistad familiar ya que recordaba cómo el general la columpió en sus rodillas siendo niña, e insistió hasta el punto de lograr que esa noche fueran seis los comensales en torno a una mesa del «Caruso».

Imperceptiblemente, y sin que los demás comprendieran cómo ocurrió, Hassán Ibn-Aziz se las ingenió para conducir una conversación, en principio intrascendente, hacia el tema que en realidad le interesaba: el petróleo.

—¿Cuál sería, General, la posición del Ejército venezolano en el caso de que una potencia extranjera intentase apoderarse de los campos de petróleo...? —inquirió de pronto con aparente inocencia.

León Plaza, a quien iba dirigida la pregunta, se volvió a Arístides Ungría, como si tratase de buscar salida a la situación. Al fin, convencido de que su amigo también parecía interesado en su respuesta, se encogió de hombros.

—Supongo... —dijo— que la posición del Ejército vendría dictada por la posición del Ejecutivo Nacional... No debe olvidar que el presidente es el comandante en jefe de las Fuerzas Armadas... —hizo una pausa—. Únicamente él puede responder a esa pregunta.

—De acuerdo —admitió el libio—. Pero, ¿cuál sería su posición personal...?

—Un general no puede tener posiciones personales en casos como éste... —señaló con absoluta naturalidad—. Por otra parte, yo en la actualidad estoy excedente. Mi opinión no cuenta...

—Por el contrario... —le refutó Hassán, no sin cierta astucia—. El hecho de que esté excedente, le permite dar su opinión... Si en un momento determinado alguien amenazase los yacimientos, ¿los defendería o los volaría...?

El general Plaza meditó largo rato. Incluso podría llegar a creerse que decidiría no contestar, pero advirtió a Anne-Marie particularmente pendiente de sus labios, y no quiso defraudarla.

—No creo que ningún yacimiento valga la vida de un soldado —dijo—. Un pozo puede volver a perforarse, pero a un soldado no hay quien lo resucite...

—¿Quiere decir que los volaría?

—¿Por qué? ¿A quién beneficia volar un pozo de petróleo? El mundo necesita petróleo... Volar un pozo por razones políticas me parece un crimen...

Hassán Ibn-Aziz quedó momentáneamente desconcertado, y tardó en reaccionar buscando, tal vez, asimilar una respuesta que no esperaba de un militar. Por unos instantes casi tartamudeó, pero por último protestó excitado:

—¡No pretenderá hacerme creer que los entregaría sin lucha...!

—Eso depende... —replicó León Plaza con naturalidad—. Si Colombia, Cuba, o cualquier país relativamente pequeño pretendiese invadir Venezuela y apoderarse de lo que es nuestro, y en ello va incluido el petróleo, puede estar seguro de que lucharía hasta el fin... —Hizo una pausa—. Pero si los Estados Unidos, Rusia u otra superpotencia se precipitara de pronto sobre nuestros campos petroleros, considero que cualquier militar consciente de su responsabilidad evitaría enviar a sus hombres a la muerte por defender algo que, en el fondo, no es más que dinero...

—¿Dinero...? —se asombró el libio—. ¡Son nuestros recursos...! Lo único que tenemos para enfrentarnos a los países ricos... ¿Cómo sacaremos de la miseria a nuestros hermanos del Tercer Mundo, explotados durante siglos, si no es con la fuerza que nos da el petróleo...?

León Plaza se sentía cada vez más incómodo. Resultaba claro que era aquélla una discusión en la que no deseaba, bajo ningún concepto, tomar parte. Pero aquel jovenzuelo, cuya única preocupación en este mundo parecía ser la de sobar por debajo de la mesa los muslos de una muchacha de la que ni siquiera recordaba el nombre pese a haberla tenido de niña sobre sus rodillas, hacía gala de una arrogancia estúpida. Se creería que el dinero o los coches que exhibía los había obtenido por sus propios medios, y no les vinieran dados por un padre rico que diez años antes tal vez fuera pastor de cabras analfabeto y muerto de miseria en un desierto.

—Nunca estuve de acuerdo con Fidel Castro... —comentó con un tono de voz que procuraba ser mesurado—. Y sigo sin estarlo. Pero un día, no hace mucho, acusó públicamente a los países exportadores de petróleo de que hemos esgrimido el aumento de los precios como una falsa bandera en defensa de las naciones pobres del Tercer Mundo. En realidad —dijo—, lo que estamos haciendo es cobrarles el petróleo a precios abusivos, arruinándolas, para invertir luego lo que sacamos, no en ayudarles, sino en comprar fábricas en los Estados Unidos y Europa. —Hizo una pausa y concluyó, no sin un cierto dejo de amargura en la voz—. No nos arroguemos el papel de Robin Hood, que robaba a los ricos para repartirlo entre los pobres... Tengamos la honradez de aceptar nuestro auténtico papel: desengramos a todos por igual, en un ansia desenfrenada de ser más ricos aún que los más ricos...

Hassán Ibn-Aziz le observó asombrado, y con un tono de voz en que se diría que se trataba de una persona distinta de la que había sido hasta ese instante, comentó con dureza:

—Me alegra que nunca llegara a la presidencia de la República... Con esas ideas, habría hecho fracasar la OPEP, y hubiéramos continuado, por todo el resto de la Historia, esclavos de los mismos de siempre...

Estuvo tentado de responderle que «esos mismos de siempre» eran, al propio tiempo, los que les habían enseñado que debajo de su culo existía petróleo, y los que les habían proporcionado aviones, autos, medicinas y los medios de vida de que disponían y sin los cuales continuarían pastoreando cabras. Pero no lo hizo. Se sentía cansado de aquella charla que a nada conducía, y vislumbró una especie de llamada de atención en los ojos de Arístides Ungría. Más tarde, ya a solas los cuatro, disfrutando de la última copa en la terraza del «Tamanaco», contemplando bajo ellos la piscina iluminada y la ciudad extendida como un rosario de luces, el mismo Ungría confirmó esa impresión.

—De pronto me di cuenta de que ese «turco» no es tan estúpido como aparenta... Haciéndose el «pendejo», te estaba sonsacando...

—No sería mala idea averiguar cuál es su verdadera misión en la Embajada... —señaló León Plaza—. Desde que regresé del Llano, tengo la sensación de que algo en Caracas ha cambiado... Se diría que de pronto se respira un aire de intriga, y por primera vez desde que cayó la dictadura, la gente tiene miedo de decir libremente lo que piensa...

—Nos hemos convertido en un país importante para el mundo, no lo olvides... —respondió Ungría—. Somos una potencia petrolera... Tú, desde fuera, ¿qué impresión has sacado...?

La pregunta iba dirigida directamente a Anne-Marie de Villard, que había permanecido absorta, como lejana, la mayor parte de la noche, hasta el punto de casi no despegar los labios. Se diría que algo la preocupaba, y tuvo la sensación de que tras la pregunta de Arístides Ungría se ocultaba una segunda intención. Se esforzó por desechar la idea, y se volvió a

León Plaza.

—No quisiera decir esto... —admitió—. Pero creo que fuiste demasiado espontáneo, y tal vez imprudente. Lo que ese libio quería saber desde un principio: la posición del más influyente de los generales y tal vez de parte del Ejército, ya lo sabe... —hizo una pausa un tanto dramática—. Mañana lo sabrá su embajador, y pasado, su Gobierno... A la larga, puede perjudicar tu carrera...

—¡Oh, vamos...! —protestó él—. Mi carrera ya no existe... Pedí la excedencia...

—Temporal... —señaló Arístides Ungría—. Únicamente temporal, que yo firmé los papeles. Y me niego, como muchos, a admitir que a los cincuenta y tres años, te consideres un hombre acabado... —Ahora su tono era burlón al inquirir dirigiéndose a Anne-Marie—. ¿O es que está realmente acabado...?

Anne-Marie sentía la necesidad de gritar, morder, llorar y dar gracias al cielo por el placer que estaba sintiendo, o de maldecir por la profundidad del dolor que ese placer le producía al mismo tiempo. Una y otra vez, incansable, como una máquina rítmica y programada, León Plaza entraba y salía, presionaba sobre su vientre, sobre sus pechos y entre sus muslos, provocando un orgasmo tras otro, haciéndola sudar, babear y jadear como si el aire se negase a bajar a sus pulmones.

Sonó el teléfono.

Por unos instantes se diría que ni siquiera lo oyeron, inmersos en su mundo de placer, pero el timbre repicó una y otra vez, insistente, escandalizador, amenazando con despertar a todo el hotel a las cuatro de la mañana, y fue como la señal para que el hombre tuviera su orgasmo y quedara tendido, agotado, sudoroso y también jadeante sobre el cuerpo de ella.

A tientas, a la escasa luz de la lámpara que habían cubierto con una toalla roja, Anne-Marie extendió la mano hacia la mesilla de noche, descolgó el aparato, y casi sin aliento, inquirió:

—¿Quién es...?

—¿Anne-Marie...? —Se creería que Gérard no se encontraba a miles de kilómetros de distancia, al otro lado del océano, y su voz en la noche, sonaba tan clara y nítida como si estuviera hablando desde la habitación vecina—. ¿Anne-Marie, eres tú...?

El corazón de Anne-Marie de Villard estuvo a punto de paralizarse tras el enloquecido golpeteo a que se viera sometido hasta ese instante, y pareció, por la palidez de su rostro, que la última gota de sangre había huido de su cuerpo. Su voz, entrecortada por el esfuerzo de larguísimos minutos de hacer el amor, se quebró por el miedo y la angustia:

—¿Gérard...? —inquirió con una especie de lamento o ruego de que no fuese verdad.

—Sí, soy yo... ¿Te ocurre algo...?

Con la mano libre se esforzó por apartar al hombre que seguía sobre ella y dentro de ella. Su nerviosismo aumentó hasta el punto de que el aparato cayó y tuvo que inclinarse a buscarlo entre la cama y la mesilla de noche:

—¡Quita! —rogó—. ¡Apártate...!

La voz llegó, desde el suelo, apremiante.

—¡Anne-Marie! ¿Qué ocurre, Anne-Marie...? ¿Estás bien?

Había logrado apoderarse del hilo del teléfono, tiró de él y aferró el auricular con fuerza. Advirtió cómo León Plaza se ponía en pie, completamente desnudo, la observaba unos instantes y se encaminaba al cuarto de baño.

—Sí... Estoy bien. Naturalmente que estoy bien, querido... Me asustó tu llamada... Dormía... —Hizo una pausa—. Aquí son las cuatro de la mañana...

—Lo sé... —respondió Gérard—. Pero los muchachos quieren felicitarte antes de ir a clase... Ahora se ponen...

—¿Felicitarme...? —inquirió sorprendida—. ¿Por qué?

La voz del pequeño fue la respuesta. Sonaba falsamente alegre al otro lado del Atlántico.

—Feliz cumpleaños... ¿Cuándo vuelves...?

Notó un nudo en la garganta. Al bajar los ojos se descubrió desnuda, con las piernas abiertas, sucia y baboseada, mientras en el oído resonaba la voz, amarga y esperanzada, de su hijo menor, que repetía: ¿Cuándo vuelves, mamá...?

—¡Pronto, hijo...! ¡Pronto! —fue todo cuanto consiguió articular.

—Te necesitamos... —insistió el chiquillo—. Aquí nada es lo mismo sin ti... —Su voz se quebró—. Papá está muy triste...

No supo qué decir y agradeció que Gérard recuperara el aparato intentando tranquilizarla:

—No te preocupes —dijo—. Nos arreglaremos... Termina tu trabajo, que es lo que importa...

Luego habló con su hijo mayor, que se mostró más sereno y más hombre, aunque en el fondo advirtió la misma tristeza y el mismo desconcierto ante una situación que no acababan de entender. Se despidieron, y Gérard volvió a ponerse. Aguardó unos instantes, probablemente dando tiempo a que los muchachos abandonaran la casa, y luego, en otro tono, profundamente dolido, inquirió:

—Está ahí contigo, ¿verdad...?

Asintió en silencio como si Gérard, desde París, pudiera verla. Durante unos segundos no se sintieron capaces de pronunciar palabra, hundidos en el profundo dolor que la situación les producía. Anne-Marie advirtió cómo lágrimas calientes y silenciosas comenzaban a correr por sus mejillas, pero no se encontró con fuerza para contenerlas. Se sentía vacía, como muerta, odiándose a sí misma y odiando al hombre que seguía encerrado en el cuarto de baño. No tenía ideas, y nada pasaba por su mente como si se hubiese embotado por completo, y no captara la magnitud de lo que estaba sucediendo. Veía a Gérard, solo en su despacho, sentado, con la mano en la frente, en una actitud que tanto conocía, y sabía de su desesperación y del tremendo vacío que debía ocupar su alma en ese instante.

—¿Qué va a pasar ahora...? —inquirió él al fin.

—No lo sé, Gérard... —aseguró—. Te juro que no lo sé.

—Se ha convertido en algo importante para ti, ¿no es cierto?

—Sí.

—¿Piensas volver?

Hizo un esfuerzo, pretendiendo mostrarse serena y sincera:

—Es pronto para saberlo, Gérard... Dame tiempo...

La puerta del cuarto de baño se abrió y León Plaza se recortó contra la luz blanca y brillante. Reparó en sus lágrimas, las ropas, que descansaban sobre un sillón y comenzó a vestirse.

Anne-Marie de Villard le observó y, tapando el micrófono con la mano, suplicó, cuando ya se había puesto los pantalones y terminaba de abrocharse la camisa:

—Por favor, no te vayas...

Luego se dirigió de nuevo a Gérard:

—Te llamaré el domingo... —prometió.

—De acuerdo —fue la respuesta—. Pero recuerda que, pase lo que pase, seguimos queriéndote...

Colgó.

Permaneció unos instantes con la mano sobre la horquilla sin contener las lágrimas. León Plaza, inmóvil, sentado en el sillón, esperaba.

Anne-Marie de Villard lanzó al fin un corto sollozo, buscó una punta de sábana y se secó el rostro. De improviso había envejecido diez años. Se irguió, tomó asiento en el borde de la cama, y le miró directamente a los ojos:

—Era Gérard... —dijo, aunque comprendió que la aclaración resultaba inútil—. Gérard y los chicos... —Hizo una pausa—. Olvidé que hoy cumplo treinta y nueve años...

—No tienes por qué explicar nada... —señaló.

Ella negó. Súbitamente parecía haber tomado una decisión. Con el dorso de la mano se secó la última lágrima rebelde y dijo:

—Son muchas las cosas que tengo que explicar...

Y comenzó a hablar, serenamente, sin mirarle.

Empezó por la invitación que recibiera a pasar un fin de semana en la mansión de los Auclair-Langeais, y concluyó por el cuidadoso plan que los países industrializados de Europa habían preparado para adueñarse del poder en Venezuela y separarla de la OPEP.

La primera fase estribaba en persuadirle de que la política económica seguida en la actualidad por su país, resultaba a todas luces equivocada. Le estaban haciendo el juego a los árabes y a compañías americanas que no perseguían otro objetivo que el propio enriquecimiento, sin que dicha riqueza revirtiera en los pobres. Por el contrario, contribuía a lucrar más a unos pocos, ahondando las enormes diferencias existentes con el resto.

En los países árabes, eso resultaba patente, y, salvo contadas excepciones, los jeques y reyezuelos se habían convertido en multimillonarios que derrochaban su oro en lujos absurdos o en la compra de esclavos, mientras sus súbditos continuaban como en la Edad Media. En Venezuela, las diferencias sociales aumentaban, y las grandes entradas de divisas se estaban empleando en

empréstitos a largo plazo, o en la adquisición de bie-
nes en los mercados norteamericanos que, normalmente, multiplicaban sus precios y ofrecían armas y mate-
riales antiguos de fácil deterioro, procurando, al mismo tiempo, que Venezuela no dejase de depender de
su técnica, sus productos manufacturados e incluso sus
alimentos.

Venezuela, país rico por el oro negro, no lograba
ser, no obstante, autosuficiente en casi nada, y con el
paso de los años, no contaba siquiera con una sola
fábrica de automóviles auténticos, limitándose a aceptar que las grandes marcas montasen plantas de en-
samblaje, donde las piezas primordiales debían im-
portarse de los países de origen.

No existía nada que Venezuela pudiera hacer por
sí misma, ni aun extraer su propio petróleo, pues la
mayoría de los técnicos y la casi totalidad de las herramientas llegaban igualmente de los Estados Unidos,
que mantenían una mano de plomo sobre todos y cada
uno de los estratos de la vida nacional.

El plan europeo contemplaba, sin embargo, un cam-
bio radical en esa forma de actuar. Europa proponía a
León Plaza como Presidente o Dictador un auténtico
«Plan Quinquenal» que, en el transcurso de cinco años,
convertiría a Venezuela en la potencia número uno del
Continente.

Los llanos, abandonados desde la noche de los tiempos, serían transformados, por el sistema de «módulos»,
en una gigantesca vega que ocupase la tercera parte de
la superficie nacional, dando paso a una agricultura diversificada y a una ganadería renovada a base de las
mejores razas importadas del Viejo Continente. Los
grandes ríos, como el Orinoco y el Caroní, que lanzaban al mar, desperdiciándola, miles de millones de
toneladas de agua cada año, serían domados por gigan-

tescas presas, que electrificarían a la nación, superando sus necesidades y permitiéndole exportar energía a sus vecinos, al tiempo que se creaba una perfecta red de regadíos.

Las minas al aire libre de Cerro Bolívar y El Pao, que convertían a Venezuela en uno de los primeros exportadores mundiales de mineral de hierro, serían aprovechadas por los expertos suecos, creando, en Puerto Ordaz y Ciudad Bolívar, inmensas siderúrgicas que les pusieran en poco tiempo a la cabeza de los productores de acero.

Ese acero sería, a su vez, aprovechado por las marcas de automóviles inglesas e italianas, que montarían en Valencia y Maracay auténticas fábricas que no dependiesen en absoluto del exterior, y que en poco tiempo les permitirían no sólo abastecer su mercado, sino incluso vender coches y piezas de repuesto más allá de sus fronteras.

España aportaría sus astilleros para Puerto la Cruz, Barcelona o Puerto Cabello, construyendo petroleros y barcos de pesca, pues resultaba absurdo que uno de los principales exportadores del mundo no contase con una flota petrolera, y los camarones del Delta del Orinoco fueran aprovechados únicamente por Trinidad y Tobago porque la industria pesquera nacional fuera prácticamente inexistente.

Se estudiarían a fondo las deficiencias de la Petroquímica de «El Tablazo» y se crearían otras, ya que una parte muy importante del futuro nacional estribaría en el aprovechamiento de las industrias derivadas del petróleo. Europa se comprometería a adquirir de Venezuela la casi totalidad de los cinco millones de toneladas de polivinilo que necesitaría en 1980, y nadie mejor que Venezuela podría fabricar un producto que cuanto necesitaba era etileno, cloro y energía, cosas todas que le sobraban.

Los alemanes aportarían su técnica en la industria química; los franceses y los ingleses sus adelantos en el mundo de la aeronáutica y de las centrales de energía nuclear, y los holandeses, la experiencia de su electrónica, de modo que con un buen contingente de profesores, catedráticos e instructores de formación profesional venidos desde aquellos países, una nación estancada hasta esos momentos, daría el más fabuloso salto adelante que se hubiera conocido en la historia de la Humanidad.

—Todo está estudiado y calculado hasta el último detalle... —concluyó—. Durante días y semanas me mostraron cifras, gráficos y diseños de fábricas, su ubicación, su tiempo de construcción, puesta en marcha, rendimiento y amortización... Ha sido un trabajo meticuloso, y lo único que desean es que lo estudies antes de dar una respuesta.

—¿Y qué piden a cambio...?

—Cinco años de petróleo barato.

Eso era, en efecto, lo que Europa quería. Cinco años de respiro que les permitieran abastecerse de las reservas venezolanas a cambio de todo lo que ofrecían. Y en esos cinco años, Europa confiaba en transformar sus plantas de electricidad en centrales nucleares e hidráulicas con lo que reducirían a casi la mitad el consumo de crudo.

En esos cinco años Europa esperaba haber puesto en rendimiento los yacimientos del mar del Norte así como nuevos campos petroleros que se buscaban desesperadamente y de los que se sospechaba la existencia.

Quebrado el monopolio de la OPEP, habiendo salido Venezuela de la Organización de Países Exporta-

dores de Petróleo, viendo los demás miembros cómo
se desarrollaba a base de cambiar su política de precios y agobio, las naciones europeas confiaban en que
otros productores decidieran pronto o tarde seguir su
ejemplo, pues la mayoría no se resignaría a permanecer cinco años sin vender un solo barril, contemplando
cómo una sola nación obtenía todo el beneficio.

Para los dirigentes de la política europea, la crisis
mundial de energía por la que atravesaba el mundo, y
que tan dolorosamente sufrían, estaba motivada por la
conducta de las grandes empresas norteamericanas, a
las que la administración Nixon siguió el juego, y por
la férrea cerrazón del monopolio de la OPEP.

Con unas reservas comprobadas de noventa mil millones de toneladas y unas posibilidades casi seguras
estimadas en seiscientos veinte mil millones de toneladas exploradas hasta el momento, se calculaba que
existía petróleo en el planeta para más de doscientos
años, fijando como patrón de consumo el de 1971.

Si, una vez consciente del peligro, las naciones in-
dustrializadas se esforzaban por no aumentar ese consumo, sino que, por el contrario, lo disminuían a base
de acelerar sus inversiones y sus investigaciones en
energía nuclear o fuentes alternativas, se podía asegurar que, prácticamente, no existiría crisis de energía.

Venezuela, con sus reservas comprobadas, sus posibilidades estudiadas y la puesta en explotación de
al Faja Bituminosa del Orinoco, aún virgen, estaba en
condiciones de abastecer de crudo a Europa durante
cinco años, y aún le quedarían inmensas reservas para
su propio consumo y el de su desarrollo industrial.
Cierto que al término de esos cinco años habría dejado de ser país exportador, pero, en contrapartida, su
economía pasaría de ser monoproductiva, con todos
los riesgos que eso entrañaba, a convertirse en la más

diversificada, rica y arrolladora del momento.

Con las fábricas más modernas y sofisticadas, con técnicas de última hora, y un personal especializado que enseñara a su gente creando miles de nuevos puestos de trabajo para una masa que ahora aparecía cada vez más pobre y desconcertada, pasaría de ser el eterno país de las «infinitas posibilidades», al país de las «infinitas realidades».

—Existe incluso un estudio, debido a un español, que adaptaría a la Gran Sabana de la Guayana, prácticamente abandonada y desierta, las especies de animales en trance de desaparición en África. Elefantes, jirafas, cebras, ñus, impalas, avestruces... ¡Todo trasladado a América! Se hicieron ensayos de adaptación al terreno, y el habitat resultó idéntico al de las praderas africanas... Junto al Orinoco, al pie del Salto Ángel y de las lagunas de Canaima, crecerían en absoluta libertad miles de animales, que atraerían el turismo de los Estados Unidos, que no tendría necesidad de viajar hasta Kenia o Tanganika... Seríais, además, un país turístico... «Operación Arca de Noé» se llama ese proyecto.

Semidesnudo aún y descalzo sobre la alfombra, el general León Plaza observó largamente cómo la hermosa mole del Ávila comenzaba a teñirse de verde con la primera claridad del día.

Caracas, ciudad madrugadora, despertaba al trabajo de una nueva jornada, y los primeros automóviles circulaban ya por la autopista del Este. Una avioneta despegó de La Carlota, y se perdió hacia el Norte, tal vez hacia Los Roques o Margarita. La observó hasta que desapareció por completo de su vista, y se volvió a la mujer que seguía en el mismo lugar, sentada al borde de la cama.

—¿Y por qué yo? —quiso saber—. ¿Por qué un golpe de Estado? ¿Por qué no proponerle todo eso al presidente...?

—Nunca aceptaría... Es un hombre demasiado íntegro para traicionar sus compromisos internacionales. Aun cuando llegásemos a convencerle de que este plan es mucho más lógico que la política que hasta ahora ha seguido su Gobierno, no lo adoptaría...

El rostro de León Plaza mostraba desconcierto, pesadumbre y dolor.

—¿Y me habéis elegido a mí para traicionarle?

Noemí Atienza pasó la tarde del domingo con su tía, vio por el canal dos los resultados del «5 y 6», comprobó que, pese a los «datos infalibles» que le habían proporcionado en la oficina, no lograba «meter» más que tres caballos ganadores, y rompió el «cuadro» en el que se había gastado, una vez más, dieciséis bolívares.

—No comprendo por qué tiras de ese modo tu plata —refunfuñó la vieja—. Igual que tu madre... ¡Siempre soñando con ganar un cuadro de seis caballos y retirarse...! Se acostaba con camioneros borrachos para perder el dinero en las patas de un burro...

La dejó mascullando y con la vista prendida en la película que acababa de empezar en Venevisión, y subió al piso alto, donde la esperaba Hassán Ibn-Aziz.

El libio parecía de mal humor, y lo primero que hizo fue echarle en cara que lo tuviera esperando más de una hora.

Le bastó lanzar una ojeada al diario para comprender las razones de su actitud.

—No lo pagues conmigo... —señaló mordaz—. No tengo la culpa de que «vuestros hermanos árabes» os la hayan jugado...

Hassán golpeó con el dorso de la mano la gran fotografía del ministro del Petróleo de Arabia Saudí, Yamaní, que ocupaba la primera página de *El Nacional*.

—¡Traidor! —pronunció la palabra con auténtica ira—. Se ha vendido a los americanos. Pero no logrará deshacer la OPEP... —Añadió—: Aún somos los más fuertes... Once países contra dos.

—Sí —admitió Noemí—. El tema se había discutido toda la semana en palacio, desde los más altos despachos al último pasillo. No romperá la OPEP, pero si vende petróleo más barato, ¿quién nos lo va a comprar? Poco a poco, nuestros clientes se inclinarán por Arabia Saudí y los Emiratos...

—¡No pueden...! ¡Hay contratos...!

—Más vale que no confiemos demasiado en esos contratos.

Noemí Atienza sabía bien lo que decía. El panorama petrolero mundial acababa de dar un brusco giro aquel mismo jueves, cuando el jeque Ahmed Zakir Yamaní abandonara la «cumbre» de los Países Exportadores de Petróleo, en Qatar, para declarar que, por primera vez desde la creación de la OPEP, no había unanimidad de criterios. Arabia y los Emiratos se limitaban a subir los precios en un cinco por ciento, mientras los restantes —entre ellos, Venezuela— lo subirían un diez por ciento.

Eso significaba el resquebrajamiento de la Organización y el comienzo de la debilitación de un bloque monolítico que hasta ese instante había tenido al mundo en un puño, obligándole a aceptar las condiciones que imponía.

Las dos potencias disidentes producían, por sí solas, un tercio del petróleo que se consumía en la actualidad, y, forzando la máquina, estaban en condiciones de exportar casi quince millones de barriles diarios: es decir, la mitad del total.

En los próximos meses se iniciaría una dura batalla por abastecerse de esos dos países y abandonar a los restantes. También resultaba claro que las naciones importadoras se preocuparían de ahondar la escisión y provocar una ruptura definitiva en la OPEP, lo que significaría el fin del monopolio y el comienzo de una etapa de «cada cual para sí» y «sálvese quien pueda».

—Una guerra de precios es lo peor que nos puede suceder —admitió Hassán—. Si ahora Yamaní se limita a no encarecer, es muy posible que su próximo paso sea abaratar para acaparar el mercado... —Arrugó el periódico entre las manos—. Sería volver a los tiempos en que nos devorábamos los unos a los otros y vendíamos petróleo a un dólar el barril... ¡El fin del sueño...!

—Aún no está todo perdido —señaló ella—. Puede que se trate tan sólo de una presión del presidente Carter, que quiere empezar con buen pie su mandato... —Hizo una pausa—. Dicen que ha prometido a Arabia disminuir su ayuda a Israel y convencer a los judíos para que pacten con los palestinos...

—Muy propio de los americanos —masculló el libio—. Vender ahora a sus amigos... ¡Pero no es así como va a solucionarse el problema judío! —afirmó, convencido—. No por un arreglo entre Yamaní y Carter... Aplastaremos a Israel —prometió—. Daremos su merecido a Yamaní e impondremos de nuevo un precio justo a nuestro petróleo.

—¡Tendréis que daros prisa...! —sentenció Noemí con un extraño tono de voz, mientras se dejaba caer displicentemente en el sofá—. Las cosas empiezan a complicarse...

Hassán Ibn-Aziz la observó interesado, y su rostro se transformó. La ira dejó paso a su habitual expresión inquisitiva.

—¿Hay algo más? —quiso saber.

—Copié a máquina un informe —admitió ella—.

Existe inquietud entre los altos mandos militares... Se especula sobre la posibilidad de un golpe de Estado...

—¿Fascista?

—No lo creo... —negó convencida—. Eso es lo que me intriga. Los nombres que se barajan son de liberales sin antecedentes políticos marcados... Sobre todo el principal...

—¿Quién...?

—El general Arístides Ungría...

El libio, sorprendido por la revelación, pareció desconcertado. Meditó y, al fin, se volvió de nuevo a ella. Fue a decir algo, pero sus ojos quedaron prendidos por la visión de los muslos de Noemí, que había entreabierto distraídamente las piernas, permitiendo que, desde donde se encontraba, pudiera distinguir hasta su parte más íntima, pues no llevaba nada debajo.

Hassán Ibn-Aziz dudó unos instantes, como si sus ideas se hubieran volatizado de improviso. Cuando recuperó el hilo de sus pensamientos, agitó la cabeza.

—¡Arístides Ungría...! —repitió—. Nunca lo hubiera creído. ¿Estás segura...?

—En la misma semana ha visitado varias guarniciones claves y mantenido conversaciones secretas con sus comandantes... —Hizo una pausa—. Nada que dé pie para acusarle, pero bastante sospechoso... Como si nadara entre dos aguas...

—Ungría no tiene categoría para organizar algo por su cuenta —señaló el libio mirando de nuevo los muslos de Noemí, que lo advirtió, pero no hizo gesto alguno, como si no le molestara en absoluto—. ¿Puede estar León Plaza detrás de todo esto...?

Ella reflexionó. Hizo un gesto de indiferencia.

—Podría ser... Plaza posee la talla para intentar algo así, pero no me parece probable. Ha vuelto a su retiro del llano...

—¿Al llano...? —Hassán lanzó un leve silbido—. ¿Y ella? ¿La francesa...?

—En Francia...

Sentado en la cama, absorto, recordó la cena del «Caruso». Esa noche tuvo la impresión de que había algo realmente importante entre Anne-Marie de Villard y el general León Plaza. Se advertía en cómo se miraban, cómo se hablaban y cómo se tomaban a veces de la mano. Hubiera supuesto cualquier cosa, menos que de improviso se separaran.

—Es raro —comentó—. ¿Ella no quería escribir un libro o algo así...?

—No tengo ni idea... —admitió Noemí, y se puso en pie, dispuesta a marcharse—. ¿Algo más?

Hassán Ibn-Aziz negó, y como viera que permanecía a la expectativa, cayó en la cuenta, metió la mano en el bolsillo y sacó un paquete de billetes de quinientos bolívares. Contó diez y se los entregó. Luego mostró dos:

—Mil más, si te desnudas.

Negó con naturalidad.

—No soy una puta.

—¿Es cierto que eres virgen...? —inquirió interesado, y, ante su muda señal de asentimiento, añadió—. Pero me han dicho que te dejas hacer de todo...

—No por dinero... —señaló—. Y no me gusta mezclarlo con los negocios...

Salió y cerró la puerta a sus espaldas.

El libio permaneció sentado en la cama. Después se asomó a la ventana y observó cómo se alejaba con paso rápido hacia el «Cine Canaima». Cuando hubo desaparecido en la esquina, regresó a la cama, descolgó el teléfono y marcó un número.

Al otro lado levantaron el aparato.

—¿Zacarías...? —preguntó.

—Sí...

—Soy yo, «Andrés»... Tengo un trabajo para ti...

Anne-Marie de Villard detuvo su pequeño automóvil amarillo en uno de los solitarios paseos del «Bois de Boulogne», y permaneció sentada tras el volante, contemplando absorta los árboles sin hojas por entre cuyas peladas ramas se filtraba el tímido sol de una fría mañana de diciembre.

A su lado, en el asiento, se amontonaban los paquetes con los regalos de Navidad que había comprado, y no le sorprendió que en esta ocasión el hecho, siempre agradable de elegirlos, no le hubiese producido satisfacción y sí una profunda nostalgia.

Nostalgia de otro país y de otro clima. Nostalgia, sobre todo, de otro hombre.

Tuvo que hacer un gran esfuerzo para no echarse a llorar, al recordar una vez más a León Plaza. Desde su regreso, su vida no era más que un constante fingir y esforzarse por evitar que los suyos advirtieran que su mente, su corazón y su cuerpo se encontraban muy lejos.

Gérard, sensible y perspicaz, había tenido el buen juicio de evitar todo comentario en torno al tema y de eludir delicadamente cualquier contacto físico, y eso era algo que tenía que agradecerle. Hacer el amor con Gérard, significaría pensar en León Plaza y compararlos.

Por más que se esforzara, no podía convencerse de

que no era culpa suya, y fueron circunstancias extraor-
dinarias las que le condujeron a una situación qúe, de
otro modo, nunca se hubiera producido. Se despreciá-
ba a sí misma. Despreciaba sobre todo aquella ansia
física que se apoderaba de ella cuando, tendida en la
cama, permanecía despierta durante horas y horas contemplando el techo y escuchando a su lado la acompa-
sada respiración de Gérard.

La necesidad que sentía de León Plaza; el estremecimiento casi animal e incontrolable de todo su cuerpo
y el calor íntimo, como fuego, que la invadía cuando,
sin poder evitarlo, evocaba la furia salvaje con que él
la poseía incansablemente, estaban a punto de volver-
la loca.

Como en sus tiempos de colegiala quinceañera, se
sorprendió a sí misma mientras bajaba su mano para
acariciarse, para masturbarse en silencio, mordiendo
los labios para evitar los gemidos que pudieran despertar a su esposo de su plácido sueño.

Y, lo más vergonzoso, lo más doloroso, era comprender que Gérard no se lo merecía.

¿Cómo podía haber cambiado tanto...? ¿Adónde habían ido a parar sus convicciones de ama de casa y
madre de familia pequeñoburguesa...?

Toda una educación y una línea de conducta segui-
das con absoluta honradez y sinceridad, desde que
tenía uso de razón, se desmoronaban por el simple
hecho de que un hombre la había poseído con el ardor
y entusiasmo de un potro salvaje.

Se rebelaba ante la idea de que era un comporta-
miento puramente animal el que dominaba sobre sus
sentimientos, y eso la obligaba a poner en duda la so-
lidez de tales sentimientos.

Descubría ahora que Gérard no era para ella más
que un tranquilo y amistoso compañero de fatigas,

y los chicos ya no la necesitaban. Pronto serían hombres que vivirían su propia vida. Por tanto, ella, Anne-Marie de Villard, se enfrentaba de improviso con la desconcertante certeza de que lo que consideraba consustancial a su vida no constituía más que un refugio. La verdad era que estaba sola; que su vida era otra y eran otros, sobre todo, sus deseos.

A los treinta y nueve años recién cumplidos se sentía dispuesta a empezar de nuevo como si el pasado no existiese y ella fuera otra vez la Anne-Marie Seuret que un día, a los diecisiete años, comprendiera que se estaba enamorando de su catedrático: el serio y respetuoso Gérard de Villard.

¿Era posible un salto atrás de veintidós años?

Recordó cuándo empezó a sentir un especial placer al sentarse en la primera fila del aula con ceñidísimos jerseys que resaltaban lo que eran considerados —con justicia— como los más grandiosos y duros pechos de toda la orilla izquierda del Sena. Fijaba los ojos en Gérard, cruzaba las piernas y se divertía advirtiendo cómo una especie de sudor frío y un tartamudeo infantil se iban apoderando del joven catedrático.

Una indescriptible sensación de ternura la invadió al rememorar al tímido Gérard de aquellos tiempos.

Muchas tardes fueron a pasear por aquel mismo bosque, o a sentarse en un banco escondido en la espesura, y fue en uno de ellos, no muy lejos quizá, donde él la acarició y le besó los pechos por primera vez. Aún le pareció sentir su nerviosismo al desabrocharle uno por uno los botones de la blusa veraniega, y la cálida humedad de sus labios.

Nadie la había besado nunca antes así, ni nadie se había echado nunca hacia atrás a contemplar, maravillado y agradecido, aquella obra maestra de la naturaleza.

—¡Dios! —había exclamado.

Sintió de improviso la necesidad de salir del coche y vagabundear a solas por entre los árboles.

Buscaba, quizás, aquel mismo banco, pero comprendió que nunca daría con él y, pese al frío, tomó asiento en el más escondido que encontró intentando evocar una vez más la última noche que pasara con León Plaza, cuando un orgasmo siguió al otro, hasta el momento en que sonó el teléfono.

Vino luego la larga confesión, y la amargura cuando él, sin hacer reproche alguno, preguntó:

—¿Y me habéis escogido a mí para traicionarle?

No aguardó respuesta. Descalzo como estaba, abandonando allí mismo sus zapatos, buscó su llave y se fue.

Cuando, una hora después, subió a su habitación, ya se había marchado.

Ni una palabra, ni un adiós, ni la oportunidad de decirle que le amaba y que para ella nada más tenía importancia en este mundo: ni Gérard, ni los niños, ni toda aquella maldita y complicada historia del petróleo.

No le importaba más que sentirlo en una cama cuando le hacía el amor como una bestia.

Alguien se interpuso entre ella y un tímido sol que apenas acertaba a calentarla, y alzó los ojos.

—¡Buenos días, Anne-Marie...! —saludó—. ¿Puedo sentarme?

De mala gana, pues no experimentaba el menor deseo de hablar con nadie, le hizo sitio a su lado. Christian Auclair-Langeais se acomodó, y desplegó el *Fígaro*, mostrando su primera página:

—Perdona que te haya mandado seguir, pero necesitaba hablarte a solas... ¿Has visto esto...?

—Sí. Lo he visto... Estarás contento. El plan va a

cumplirse... La OPEP amenaza con quebrarse, aunque por otro lado... No será Venezuela la que salga, sino Arabia Saudí.

«Monsieur le Ministre» dobló de nuevo cuidadosamente el diario, lo dejó a un lado y comenzó a hurgar en los bolsillos del abrigo en busca de su pipa.

—Desgraciadamente, no es tan sencillo —señaló—. La OPEP no se va a romper por esto... Se pondrán de acuerdo nuevamente si no asestamos a tiempo el golpe definitivo... Separar ahora a Venezuela los hundiría. Iniciarían la desbandada, y ya nadie volvería a agruparlos.

—Entiendo. —Anne-Marie de Villard le observó mientras encendía su rebelde cachimba—. Queréis rematar la obra, pero, ¿cómo...?

—Nuestro plan aún es bueno... Si la OPEP se deshace, Venezuela será la primera interesada en firmar ese acuerdo con nosotros... No tendría que iniciar una feroz lucha competitiva por colocar su petróleo a cambio de dólares... Respetaríamos el trato, pasase lo que pasase con la OPEP.

—Resultaría mucho más sencillo seguir presionando sobre Arabia y los Emiratos...

Christian Auclair-Langeais negó convencido y contaminó el aire del bosque con el apestoso humo de su pipa.

—Arabia es feudo americano —puntualizó—. En realidad, lo que acaba de ocurrir nos perjudica más que beneficiarnos... Compramos la mayor parte de nuestro petróleo a los países que han subido un diez por ciento, mientras que los americanos tan sólo sufrirán un aumento del cinco... Eso quiere decir que nos desangraremos aún más. Nuestros productos ya no serán competitivos... Acabarán de hundirnos...

—¡Vaya! —se sorprendió—. Creí realmente que esta

primera quiebra de la OPEP constituía un gesto de buena voluntad del presidente Carter...

—Y tal vez lo sea... —admitió—. Ha obtenido ventajas, pero no dejan de ser ventajas discriminatorias. Lo mejor para ellos y lo peor para nosotros. Si, como aseguran, la OPEP vuelve a subir el precio dentro de seis meses, no aguantaremos...

Anne-Marie de Villard no respondió. En los últimos tiempos había aprendido tanto del problema energético, que comprendía fácilmente los razonamientos de su interlocutor. Se volvió a mirarle fijamente, y abrió las manos en señal de impotencia.

—¿Y qué quieres que haga...? —exclamó—. Lo intenté una vez, y fracasé...

—¡Inténtalo de nuevo...!

—¿De nuevo? —Se sorprendió—. Estás loco... Esto era una trampa en la que yo era el cebo para atrapar a un hombre. —Guardó silencio unos instantes y sonrió con irónica amargura—. Pero el pez se comió el cebo y escapó de la trampa... Regresó a su escondite.

—¡Ve allí a buscarlo!

—No. No saldrá, lo sé... Lo conozco bien. Yo soy la última persona de este mundo por la que abandonaría ahora su cueva... A León Plaza se le puede engañar una vez. No dos...

—¡Tenemos que hacerlo! —afirmó el otro convencido, casi furioso—. ¡Es el momento! Los próximos meses, el mundo se jugará su destino. El mar del petróleo está revuelto... O hacemos estallar la tempestad, o esa maldita marea negra nos ahogará de nuevo...

—Arístides Ungría es el único que puede convencerlo.

—Lo ha intentado, pero no le escucha. Plaza se siente traicionado porque averiguó que está con nosotros desde el principio.

—Te lo advertí. León es demasiado íntegro para prestarse a ese juego... Para él, su juramento de fidelidad al presidente es lo primero.

La pipa de Christian Auclair-Langeais se había apagado, y éste la contempló con cierta tristeza. La golpeó repetidas veces contra la madera del banco, vaciándola, y se puso en pie con aire de fatiga.

—¿Crees de verdad que no existe nada que pueda hacerle cambiar de idea? —inquirió por último.

—Estoy segura.

Arístides Ungría amaba el mar.

A menudo se repetía a sí mismo que su vocación frustrada era la de marino, y que si la hubiera descubierto a tiempo, a aquellas alturas en lugar de general, sería almirante.

Pero la suya había sido una pasión tardía, porque, como para la mayoría de la gente —no sólo gente de tierra adentro, sino incluso los que vivían cerca de la costa—, el mar no había sido, durante gran parte de su vida, más que una enorme extensión de agua.

Fue pasados los cuarenta años cuando Arístides Ungría comprendió su error.

Ahora, él, Patricia y su hija Adriana, salían cada fin de semana en su pequeño velero, el *Pat IV*, a descubrir de nuevo el mar, navegar, pescar y gozar de horas de calma y silencio, sin más compañía que las olas, los alcatraces y el rumor del agua golpeando el casco.

Constituían los momentos más felices de su vida a solas los tres y la inmensidad azul, disfrutando cuando picaba una *marling*, o cuando una brisa suave y sostenida los llevaba directamente hasta el Farallón Centinela.

En vacaciones, Navidad o Semana Santa, se aventuraban hasta el archipiélago de los Roques, a practicar la pesca submarina, explorar los centenares de islotes

abandonados o comprobar, desolados, cómo la conta-
minación causaba estragos en la fauna de las islas.

—Disfruta ahora del mar y de la pesca —decía
siempre—. Porque, quizá, cuando tengas mi edad, ya
sólo encuentres mierda.

Como para confirmar sus teorías, aquel domingo de
finales de diciembre, el Caribe, muy quieto y en calma,
casi sin viento, aparecía sucio y pringoso, incluso lejos
de la costa, como si todos los vacacionistas se hubiesen emperrado en ensuciar el mar a porfía, arrojándole
latas de cerveza, vasos de cartón y cáscaras de naranja.

—¡Vaina! —exclamó, indignado, viendo cómo el
Pat IV apenas avanzaba, fláccido y sin gracia, por entre
aquella inmundicia maloliente—. ¡Mierda a vosotros!
—gritó luego a una rápida motora roja que cruzó a dos
millas y que llevaba el día rondándolos.

Sospechaba que aquella motora debía de ir tripu-
lada por un par de «pavos» quinceañeros, de los que
ya le hacían la corte a Adriana, y le molestaba que no
se aproximasen lo suficiente como para dejarse ver la
cara.

Adriana, tumbada a proa, suelto el bikini y con su
grácil cuerpo de adolescente tostado por el sol del trópico, se había convertido en pocos meses en una mujer
de espléndidas curvas y cara de niña, lo que le hacía
sentirse a un tiempo orgulloso y molesto. Los muchachos comenzaban a rondarla, ella coqueteaba, y
pronto llegaría el día en que pidiera francamente la
llave de la puerta.

Eso le envejecía, y cuando contempló a Patricia, que
tomaba el sol no lejos de su hija, le pareció increíble
que pronto pudiera convertirse en abuela.

—¡Vaina! —masculló de nuevo, y estuvo a punto de
alzar un puño enfurecido contra los misteriosos tripu-
lantes de la motora roja.

Luego, allá lejos, a proa, hizo su aparición una torre de petróleo, anclada en solitario en el centro'del mar. Eso distrajo sus pensamientos.

Los expertos aseguraban que, aunque en la actualidad los mares no producían más que una quinta parte del petróleo mundial, dentro de diez años se sacaría de sus fondos más crudo que de la tierra, y era allí donde se encontraban las grandes reservas de la Humanidad. ¿Cuánto petróleo habría, por tanto, frente a aquellas costas?

Suficiente quizá para abastecer a Europa por más de esos cinco años que ellos pretendían, y por los que habían prometido convertir Venezuela en una superpotencia industrial.

Pensó en León Plaza y en que todo un plan cuidadosamente preparado se había malogrado porque una mujer enamorada no supo guardar un secreto.

Hacía ya cuatro meses que un secretario de Embajada se puso en contacto con él y, con suma paciencia e inteligencia, le fue convenciendo de que, como hombre de confianza de León Plaza, era el más indicado para allanar el camino del regreso a la vida activa y la toma del poder del prestigioso general.

Arístides Ungría comprendió pronto que era el mejor rumbo que podía seguir Venezuela en el futuro, y le alegraba comprobar que no estaba equivocado. Si la escisión de Qatar se confirmaba, la guerra del petróleo arruinaría a muchos países productores que se habían acostumbrado a las monstruosas ganancias de los últimos años. Presupuestos gigantescos y planes de gastos pensados a muy largo plazo, calculando que el precio del petróleo seguiría subiendo más y más, se vendrían abajo.

Si la nueva administración Carter se decidía a dar la batalla a las Siete Grandes, limitando sus ganancias y su poder, y volviendo las cosas a su justo cauce con una cotización razonable y lógica para el barril de crudo, sería ya demasiado tarde para poner en práctica el «Plan quinquenal» que había de convertirlos en gran potencia.

Instintivamente, sin saber por qué a ciencia cierta, Arístides Ungría experimentaba la sensación de que «La Era del Petróleo» iba a pasar. No quería eso decir que fuera a dejar de usarse, muy al contrario: por el camino que llevaba, se convertiría en el elemento básico de la Humanidad, pues estaba comprobado que podían obtenerse, de momento, más de trescientos mil productos derivados de él.

Lo que tendría que pasar, a su modo de ver, sería la «Era de la Especulación del Petróleo»; un período que duraba ya más de un siglo.

Le habían impresionado las teorías del científico inglés Fred Hoyle, el cual sostenía que, en realidad, el mundo y el Universo entero se formaron partiendo del petróleo. Tanto el inglés como el ruso Kalinko aseguraban que en el interior del Planeta existían más de veinticinco billones de toneladas de petróleo, suficientes para abastecer de energía a la Humanidad hasta el fin de los siglos.

El petróleo que afloraba en algunos puntos de la Tierra no constituía más que el resultado de filtraciones casuales. Perforando lo suficiente acabaría por encontrarse el yacimiento madre.

¿Cómo se explica, que en Oil Creek, en Pensilvania, se hallara petróleo a treinta metros, y en otros lugares del Planeta hubieran de perforar a tres mil...? Dependía tan sólo de las facilidades de los conductos de ascensión.

«Estamos inmersos en un mar de petróleo —le había asegurado un científico—. Si en lugar de emplear nuestra técnica en satélites o aviones de guerra, la dedicáramos a cavar más profundo, hace tiempo que no tendríamos problemas.»

Pero eso no les convenía a «los amos del petróleo», y constantemente acallaban el descubrimiento de nuevos yacimientos. Si podían ganar miles de millones de dólares en un año con la situación actual, ¿para qué cambiarla...?

Por todo ello, y dejando a un lado las teorías, un tanto de ciencia-ficción, de Hoyle y Kalinko, Arístides Ungría sentía una especie de urgente necesidad de poner de acuerdo a Europa y Venezuela, antes de que estallase la ya excesivamente hinchada pompa de jabón de la crisis petrolera.

Años atrás, una frase inteligente había querido significar la determinación de su pueblo: «Sembrar el petróleo.» Pero la frase se había quedado tan sólo en eso: una frase, y muy poco se había «sembrado».

La ligera brisa de la mañana dejó por completo de soplar, y la vela pendía casi fláccida y sin vida. Volviendo a la realidad, comprobó que en la última media hora apenas se habían movido. El mar estaba en calma como una balsa de aceite, y así era en verdad, porque una ligerísima capa de petróleo lo cubría en cuanto alcanzaba la vista.

La torre de perforación, a cuatro millas de distancia, debía de estar perdiendo.

Arrió la vela, inútil en la calma, tendió el toldo para evitar que el pesado sol del mediodía achicharrase a Patricia y Adriana, echó el ancla, abrió una cerveza, tomó de la bolsa un bocadillo y se lo comió despacio.

Las mujeres dormían. Observó cómo la motora roja daba una última vuelta a cierta distancia, se recostó en la vela, y se quedó traspuesto.

El blanco casco del *Pat IV* comenzó a mancharse

de un marrón oscuro.

Balanceándose y girando despacio en torno al ancla, a unas cinco millas de la costa, el pequeño velero comenzó a verse rodeado por una marea negra, cada vez más espesa, que manaba, inconteniblemente, de una tubería rota a veinte metros bajo la superficie del agua.

El calor aumentaba. En la modorra de las horas del mediodía, antes de que llegara la brisa de la tarde, las dos mujeres y el hombre durmieron ajenos a que la mancha que traía la corriente iba creciendo, y ajenos, igualmente, a la motora roja que, a la expectativa, permanecía al pairo no muy lejos.

La tubería continuó perdiendo. La marea negra llegó a tener un dedo de espesor en un frente de más de tres kilómetros.

Súbitamente, la motora roja se puso en marcha, alejándose.

A su popa nació una llamarada. El petróleo extendido sobre el mar prendió como un reguero de pólvora, y el fuego comenzó a avanzar hacia el *Pat IV*.

Arístides Ungría continuó dormitando.

Llegó la primera nube de humo negro y espeso y golpeó el rostro de Adriana, que tosió molesta.

—¡Papá, la pipa...! —protestó.

Pero abrió los ojos, y lo que vio la obligó a dar un salto, dejando en el suelo el sujetador de su bikini y quedando al aire los menudos, firmes y rosados pezones. Horrorizada, contempló la cortina de fuego que venía hacia ella y lanzó un grito.

—¡¡Papá!!

Arístides Ungría se despertó de golpe, se hizo cargo de la situación en una décima de segundo y se lanzó a izar la vela.

—¡Suelta el ancla! —aulló desesperado—. ¡Suelta el

ancla! ¡Patricia...! Timón a estribor...

En un instante, la vela estuvo arriba y comenzó a hincharse con el humo, cada vez más negro y espeso, que precedía al fuego.

Adriana lanzó al agua la cadena, Patricia luchó desesperadamente por poner el velero popa al viento, y Arístides Ungría se desolló las manos tensando las escotas.

Durante un tiempo que les pareció infinito, el *Pat IV* ni se movió siquiera. El humo obligaba a toser e irritaba los ojos, y sintieron la primera vaharada de calor que avanzaba hacia ellos.

—¡Dios mío...! —sollozó la muchacha—. ¡Dios mío, papá!

Centímetro a centímetro, la proa del velero comenzó a avanzar cortando el agua sin un susurro apenas.

Arístides Ungría se precipitó al sollado y comenzó a lanzar objetos fuera, como un enloquecido.

—¡Tiradlo todo! —ordenó chillando—. ¡Tirad todo lo que pese!

Cabos, anclas, aperos de pesca, literas arrancadas de cuajo, la mesa y las sillas, todo cuanto pudiera arrojarse saltó por la borda, mientras el *Pat IV* iniciaba su andadura porfiando por escapar del infierno de llamas de cuatro metros de alto que se le venía encima.

Aquello era un mar de fuego. Alcanzaba ya los tres kilómetros de frente por cuarenta metros de ancho, y rugía como un monstruo dotado de vida que exhalara un aliento fétido y negro.

El cielo se había oscurecido hasta donde alcanzaba la vista, y la columna de humo subía pesada, densa y amenazadora.

Sobre cubierta, Patricia y Adriana lloraban, mientras Arístides Ungría se aferraba al timón y se desgañitaba maldiciendo a Dios y al barco que iba perdiendo terreno ante las llamas.

Orzó a babor, buscando ceñirse y ganar así velocidad, aun a costa de perder espacio, y el ligero navío respondió a la maniobra. La vela atrapó la poca brisa que llegaba y la proa macheteó levemente en un primer intento de moverse con ganas.

—¡Vamos! ¡Vamos! —sollozó el general Ungría—. Camina, por amor de Dios. ¡Camina!

Se inició una cruel cacería.

Blanco y frágil, el velero luchó desesperadamente por mantener la distancia que le separaba del incendio y alcanzar la salvación en las aguas limpias que se distinguían a no más de dos millas.

Rojo y negro, el fuego persiguió al *Pat IV*, rugiendo y crepitando, rodeándolo y cerrándole metro a metro la salida hacia las aguas libres.

Tosiendo y asfixiándose, llorando y rezando, las dos mujeres y el hombre comprobaron, horrorizados, cómo la espantosa trampa se iba estrechando en torno a ellos.

El *Pat IV* alegró su andadura.

Una ráfaga de viento que llegaba con la tarde avivó el fuego, pero abombó también la vela del navío que, como dotado de vida, dio un salto hacia delante y puso proa a la única escapatoria que quedaba.

Durante minutos que parecieron siglos, fuego y barco mantuvieron las distancias. Luego, imperceptiblemente, el *Pat IV* ganó ventaja, se mostró marinero y valiente, y el agua cantó, al fin, en sus costados, retumbando contra el fondo de su casco.

En el corazón de Arístides Ungría renació la esperanza. Con el cuerpo intentaba empujar a la nave.

—¡Vamos, valiente! —aulló—. ¡Vamos, por lo que más quieras!

El velero obedeció. Quinientos metros le separaban del fin de la marea negra, cuando allí, en la boca libre, hizo su aparición, a toda velocidad, la roja motora.

Las dos mujeres y el hombre dieron un salto y comenzaron a agitar los brazos.

—¡Socorro! ¡Socorro! —gritaron.

La motora roja viró directamente hacia ellos, metiéndose de lleno en el humo. Luego, súbitamente, giró sobre sí misma y les mostró la popa.

Un hombre lanzó a sus espaldas un pedazo de estopa encendida.

A doscientos metros a proa del *Pat IV* se alzó un nuevo muro de llamas, que corrió de lado a lado, hasta unirse con el semicírculo que ya existía.

Incrédula y desesperada, Adriana —quince años, cara de niña y desnudos pechos de mujer— se dejó caer al suelo sollozando:

—¿Por qué...? ¿Por qué...?

El petróleo atrapó al blanco velero en su brazo de fuego.

Diez minutos después, el incendio se había extinguido, y sobre el mar no quedaba más que una columna de humo negro, que se fue diluyendo en el ambiente.

La roja motora se perdió en la distancia.

Pedazos de madera y tres cadáveres carbonizados flotaron sobre un mar en calma.

Con la caída de la tarde llegó el viento y se llevó muy lejos el olor a petróleo.

Resultaría pobre decir que Sebastián, el peón de León Plaza, parecía formar parte de la Naturaleza. En realidad, Sebastián era la Naturaleza misma. No cabía imaginarlo en otro lugar que no fuera el llano, ni ese llano podía estar habitado por hombres distintos.

Su rostro era duro, porque dura era la tierra en que vivía, de perfil aguileño, como tallado en piedra, quemado por el sol y el viento; un sol que caía a plomo abrasándolo todo, y un viento que corría libre por la llanura, a través de cientos de kilómetros. Sus ojos, sus manos, sus silencios y su forma de andar y de moverse le identificaban con cada piedra, cada matorral y cada brizna de paja de la extensión sin límites en que se desenvolvía.

Duro, seco e inflexible, el rasgo más acusado de su personalidad lo constituía, no obstante, la ingenuidad; una ingenuidad propia de quien ha nacido y crecido a jornadas de distancia del lugar habitado más cercano.

Por todo ello, Sebastián amaba y odiaba de una forma sencilla, sin complicaciones, del mismo modo que amaban u odiaban los restantes peones, o los «baqueanos» de los alrededores. Amaba a su familia, su mujer, su hijo Chanito, el pedazo de tierra que le había regalado el general y el puñado de reses y caballos que podía considerar suyos, y que compartían pastos con los de su patrón.

Adoraba sobre todo a su yegua, *Cristal,* y a su burro, *Burro,* y el nombre de este último no era una muestra de falta de imaginación, sino que lo había bautizado así después de tratarlo muy a fondo.

Jamás en todos los días de su vida había encontrado —ni él ni cuanto él conociera— un asno más asno, más bestia, más bruto, más burro en fin que *Burro,* y de ahí que llamándose en un principio *Canelo,* decidiera cambiarle el nombre, vista su forma de ser.

Por su parte, a *Cristal* el nombre le cuadraba igualmente, pues era un animal airoso, delicado y fino, de altivo porte y un extraño encanto en el corveteo y en el andar, que hacían creer que podría quebrarse en un instante.

Por el contrario, el peón odiaba a los zamuros, las serpientes, los jaguares y, sobre todo, a los cuatreros y merodeadores.

Los zamuros negros, tétricos y siempre a la espera de carroña, constituían una señal de desgracia y mal agüero, porque verlos girando allá lejos en el cielo, indicaba que una pobre res o un caballo estaban a punto de morir o era ya festín de las sucias aves. En verano, con la gran sequía, cuando las bestias iban cayendo una tras otra, los zamuros se convertían en una pesadilla contra la que nada podía hacer, impotente y rabioso.

Perseguía a muerte a las serpientes, y en los escasos días del año que no tenía un trabajo urgente que realizar, ocupaba su tiempo en rastrear los alrededores de su rancho, en busca de sus nidos y sus cuevas, «echándoles candela» y acosándolas sañudamente con ayuda de su afilado machete.

Su odio por los jaguares, o «tigres», como los llamaban allí en el llano, era, no obstante, un odio mezclado con cierta admiración, aunque hubiese matado ya más de una docena. Los consideraba, con razón, los auténticos dueños de la llanura, sus grandes señores, y no le gustaba cazarlos, a no ser que tomaran la fea costumbre de atacarle el ganado o rondar la abierta choza donde dormía, a veces solo, su pequeño Chanito.

Para Sebastián no existía espectáculo comparable al de un jaguar acechando a un venado en terreno libre, y admiraba la inteligencia y astucia con que se acercaba a la víctima, empleando mil argucias para no ser visto. La agilidad, la fuerza y el empuje con que se lanzaba al asalto final, cuando cruzaba el aire como impulsado por una catapulta, resultaban para él de una belleza y un atractivo sin límites.

Y, por último, a quienes más odiaba y despreciaba Sebastián en este mundo era a los cuatreros y, de entre ellos, sobre todo, a los «merodeadores». Las bandas de cuatreros, montando rápidos y resistentes caballos, llegaban a veces desde Colombia, y en una sola noche arramblaban con el ganado de una región, arruinando el trabajo y los esfuerzos de toda una vida de lucha y sacrificios. Perseguirlos no solía dar resultados. Los cuatreros iban siempre mejor armados que cualquier grupo de llaneros, eran traidores y asesinos y dejaban atrás grupos que tendían emboscadas a los que rastreaban sus huellas.

Por su parte, los «merodeadores» constituían la más baja escala de la especie humana, sin contar siquiera con la aureola de salvajismo de los auténticos cuatreros completamente al margen de la Ley. Los «merodeadores» rastreros y miserables, se ocultaban de día entre los arbustos de las lagunas y los caños, para salir de noche a apoderarse de un becerro o un potro, aunque para ello tuvieran que degollar salvajemente a la madre.

El cuatrero, a juicio de los llaneros, merecía siempre la muerte, se le encontrara donde se le encontrara, mas para el «merodeador», la muerte no constituía suficiente castigo, no por el daño que causaba con sus pequeñas fechorías, sino por la crueldad con que trataba a los pobres animales, y porque era capaz de destruir mucho para obtener muy poco.

Los «merodeadores» acostumbraban ligar con alambre las patas de las reses que encontraban aisladas, y las dejaban así maniatadas entre la espesura, para volver a buscarlas días más tarde si nadie había acudido a rescatarlas. A menudo, los animales, en sus intentos de liberarse, acababan cortándose los tendones, quedando cojos y sufriendo indeciblemente para siempre.

Sebastián y León Plaza dedicaban gran parte de su tiempo a recorrer las zonas más espesas de los caños y las lagunas en busca de cuatreros y «merodeadores», y no resultaba raro que tuvieran que enzarzarse a tiros con ellos.

Esas batallas campales y las horas de galopar el uno junto al otro, en silencio, los hacían sentirse muy unidos, pese a la diferencia de edad, educación o posición social. Sebastián, hermético como buen llanero, raramente dejaba traslucir sus sentimientos, pero en eso León Plaza se le asemejaba, y ambos sabían que, aunque sus larguísimos silencios podían prolongarse durante días, una íntima e indisoluble amistad los uniría para siempre.

Sebastián comprendía que León Plaza necesitaba apoyo desde el regreso de un último viaje a Caracas. No quiso comentar cuanto ocurrió allí, le conocía bien y notó que se sentía tan desgraciado y vacío como cuando «la patrona» murió y pasó meses en los que se diría que iba a pegarse un tiro.

Impenetrable, con la mirada perdida en la distancia, ausente, el general preocupaba de nuevo a Sebastián que no se decidió a preguntar qué era lo que en verdad le sucedía.

León Plaza agradecía aquel mutismo y la compenetración con sus problemas de que hacía gala su peón. Sus silencios significaban para él mucho más que las miles de palabras huecas a que tan aficionados resultaban los caraqueños, por lo cual le sorprendió verle llegar una mañana galopando sobre *Cristal* y dando gritos desde lejos. Tan sólo pudo comprender sus palabras cuando descabalgó de un salto, antes incluso de que la yegua se detuviese.

—¡La «mapanare»...! ¡La «mapanare»! —sollozó desencajado—. ¡Me desgració al muchacho...!

Se hizo cargo en el acto de la situación, y se encaminaron hacia el almacén que servía de garaje al jeep.

—¿Dónde le mordió?

—En la pierna, patrón. En la pantorrilla.

—Pídele a Cándida el botiquín... ¡Rápido!

El peón desapareció en la casa mientras él abría la puerta del galpón, llenaba el depósito y lanzaba dentro del vehículo la última lata de gasolina que quedaba. Tardó unos minutos en lograr que el jeep arrancara. Hacía meses que no lo usaba, pero cuando Sebastián regresó con el pequeño maletín de medicinas, seguido por la vieja Cándida que lloraba desconsoladamente, metió la marcha y salieron a toda velocidad, levantando nubes de polvo a sus espaldas.

En menos de cinco minutos avistaron el rancho, en cuya puerta la mujer de Sebastián gemía con el muchacho en brazos.

Los acomodaron en la trasera, y León Plaza lanzó una ojeada a la pierna herida. Cuatro pequeñas marcas sangrientas comenzaban a amoratarse y abultarse en la pantorrilla izquierda.

Buscó a su alrededor.

—¿Dónde está la serpiente?

—Se escondió en un agujero —respondió la mujer.

—¿Estás segura de que era una «mapanare»...? —La pregunta iba dirigida al pequeño que, intensamente pálido, procuraba, sin embargo, mostrarse digno de sus siete años y su condición de llanero.

—Creo que sí, patrón... —replicó con un hilo de voz.

—Hay que estar seguro... Los sueros son distintos según el veneno... ¿Dónde se escondió?

El chiquillo señaló un punto y se encaminaron a él. Con ayuda de una barra de hierro, levantaron el terreno en el lugar en que aparecía la entrada del agujero, y el ofidio salió huyendo, serpenteando llano adelante. León Plaza, que permanecía atento con el machete en la mano, lo lanzó con habilidad y lo partió en dos. Lo metió en la caja de las herramientas y remprendieron la marcha hacia el Norte, hacia el lejano Bruzual, donde vivía el único médico en cientos de kilómetros a la redonda.

Nunca se le antojó tan grande el llano, ni tan monótona y desesperante la extensión, sin un accidente de terreno, sin un punto de referencia, sin nada más que polvo, sol y escuálido ganado que pastaba solitario acá y allá una hierba quemada que apenas constituía alimento alguno.

La mujer lloraba mansamente, el niño comenzaba a quejarse a medida que la pierna se iba hinchando y amoratando y, en el asiento delantero, con la vista clavada al frente, Sebastián parecía una estatua de piedra, más anguloso y sufrido que nunca.

Hora tras hora devoraron kilómetros, saltando con los baches, tragando polvo y abandonando las «picas» de siempre para acortar camino por atajos que sólo los mejores «baqueanos» llaneros conocían, lanzándose a cruzar «caños» y lagunas secas que en otra época del año hubiesen constituido una trampa mortal para el vehículo.

Se arriesgaban a romper los ejes en un agujero, o a dejar la transmisión contra una roca escondida, pero la pierna se iba ennegreciendo más y más, Chanito comenzaba a delirar, presa de fiebres, y León Plaza comprendió que la salvación del chiquillo dependía de llegar o no a que un médico amputara la pierna a tiempo.

Se detuvieron una vez, a vaciar en el depósito la lata de gasolina, y media hora después les atrapó el fango a la orilla de una laguna, hundiéndolos hasta los ejes. Perdieron minutos preciosos en tender un cable hasta el árbol más próximo y escapar de la trampa, pero, al fin, cuando ya comenzaban a temer por la escasez de combustible, avistaron el solitario caserón de los Martínez, con su viejo surtidor manual y su taberna.

Frenó ante la misma puerta en el instante en que el viejo Martínez asomaba su sucia barriga atraído por el escándalo del motor y el claxon.

—¡Llena el depósito...! —ordenó—. ¡Rápido, que el chiquillo está mal...! ¡Le mordieron...!

El viejo Martínez lanzó una ojeada al pequeño, y sus cerdunos ojos se posaron, con pena, en Sebastián:

—Lo siento —dijo—. No hay gasolina.

Le miraron incrédulos.

—¿No hay gasolina...? —repitió la mujer, con un hilo de voz desesperado—. ¡Dios bendito...! Mi niño...

León Plaza tuvo la impresión de que iba a marearse, y se apoyó en el desvencijado surtidor manual, seco y polvoriento.

—¡No es posible! —susurró—. ¡No es posible...! Tiene que haber gasolina... ¡Esto es Venezuela...! ¡¡Venezuela...!! Se supone que aquí meamos gasolina...

—Lo lamento, general... —se disculpó el gordo—. Pero hace un mes que la compañía no se acuerda de nosotros... —Hizo un gesto, como si con ello quisiera aclararlo todo—. Esto es el llano, recuerde...

—Pero el niño se muere si no le cortan la pierna, le mordió una «mapanare»...

—Lo sé, general. Y me apena... Mi Lucía murió así... —Le tomó del brazo y se lo llevó al interior de la casa. Cuando habló, lo hizo en voz muy baja—. Si quiere ayudarles, péguele un tiro, general... Ahorrará sufrimientos a la criatura y a sus padres... Yo aún sueño con lo que padeció mi Lucía, y de eso hace quince años... ¡Péguele un tiro! —repitió—. Es una obra de caridad...

El general León Plaza no respondió. Miraba a su alrededor como si la sucia estancia, con sus desconchadas paredes, su mostrador de bastas tablas y sus cuatro sillas pudieran darle una solución mejor que la de matar a Chanito.

Reparó en las botellas de ron apiladas contra la pared en la estantería y meditó unos instantes. Luego se volvió a Sebastián, que permanecía fuera, silencioso y derrotado, junto a su mujer y su hijo.

—¡Sebastián, trae al muchacho! —ordenó—. ¡Lo haremos nosotros!

Fue una carnicería.

Dejaron fuera a la mujer, tendieron al chiquillo sobre el mostrador y utilizaron el machete de León Plaza, que él mismo afiló concienzudamente contra una piedra y desinfectó quemándolo con ron.

Chanito les miraba hacer con los ojos dilatados, y pese a que quiso mostrarse fuerte y «todo un llanero», dieron gracias a Dios porque se desmayara en cuanto vio que iban a comenzar.

Entre su padre y el viejo lo sujetaron, y León Plaza tuvo que darse ánimos con un trago antes de decidirse a alzar el brazo para descargarlo con toda su enorme fuerza sobre el delgado miembro. Tan sólo su aspecto, negro, tumefacto y blanduzco, acabó de decidirlo. Se esforzó por mantener los ojos abiertos y la mirada en el punto por el que deseaba cortar, aunque su deseo hubiera sido apartar la vista como la apartaron en ese instante Sebastián y el viejo Martínez. Se escuchó un golpe, y de un solo tajo el machete se clavó en la madera del mostrador. Luego con un cordel y un hierro al rojo, contuvieron la hemorragia.

Al terminar, Sebastián se tambaleó y Martínez tuvo que sentarlo en una silla y darle una botella de ron. León Plaza limpió su machete y lo guardó en la funda.

—Dame un caballo —pidió—. Traeré al médico.

—Tome el que quiera, general, pero son nueve horas a caballo... —Ante la decisión del otro, que se encaminaba a la puerta, señaló—: El bayo es el más resistente... La yegua blanca la más rápida... ¡No importa que los reviente...!

Salió sin decir nada. La mujer lloraba sentada en el jeep, consolada por la esposa de Martínez. Se encaminó al corral, ensilló la yegua blanca, nerviosa y viva, montó de un salto y partió al galope hacia el Nordeste.

Por la ventana de la taberna, el viejo lo vio marchar y agitó la cabeza pesimista.

—¡No llegará muy lejos a ese paso...!

León Plaza sabía, en efecto, que no llegaría muy lejos obligando a galopar a su montura, pero también sabía que no había tiempo que perder si no quería que la noche se le echase encima, con lo que desaparecería toda posibilidad de llegar a Bruzual.

Por tanto, galopó hasta que la espuma comenzó a cubrir el lomo de la yegua, y sólo entonces la desvió hacia una manada de potros que pastaban hacia el

Este. Se aproximó procurando no asustarlos, aprestó el lazo que colgaba del arzón de la silla y lo lanzó al animal que le pareció más veloz.

En unos minutos había ensillado y, dejando en libertad a la yegua agotada, espoleó a su nueva cabalgadura, siempre hacia el Nordeste.

Repitió la operación tres veces antes de que el sol comenzara a caer en el horizonte y antes de que un enorme reactor de cuatro motores cruzara allá arriba, sobre su cabeza, rumbo a Caracas.

Sabía que volaba a casi mil kilómetros por hora, y se preguntó a cuánto iría él en aquella marcha agotadora, que le recordaba el Lejano Oeste, cuando los jinetes del «Poney-Express» recorrían las praderas llevando el correo de costa a costa de los Estados Unidos.

Aquél era su país. Una Venezuela que nadaba en petróleo, pero en la que no había gasolina para salvar la vida a un niño. Una Venezuela sobrevolada por los más modernos reactores, pero en la que tenía que recorrer kilómetros y kilómetros cambiando de caballo para encontrar un lugar civilizado y un médico. Una Venezuela que era aquel llano infinito y olvidado; un llano que, según Anne-Marie de Villard, podía transformarse en huerta o en vergel a base de invertir una pequeña parte de los prodigiosos ingresos de los pozos petroleros. Un llano vacío y deshabitado; un llano del que huían los llaneros en busca de una ciudad en la que también morirse de miseria, pero al menos morir en compañía. La tercera parte de un país, del que otra tercera parte era aún selva virgen casi impenetrable.

«Más allá de Caracas, el que no tira flechas, es que toca el tam-tam...» Era un dicho venezolano. Un dicho que los caraqueños repetían con humor, pero que, desgraciadamente, se convertía en realidad en una de las naciones de las que en aquellos momentos dependía el mundo civilizado.

Se podría asegurar que Venezuela no era más que Caracas, y que Caracas, donde residía el Gobierno y donde se alzaba la sede de las grandes compañías, anulaba y despreciaba al resto de un país que le entregaba su petróleo, su hierro, su bauxita y sus hombres. Un país que se lo daba todo y por el que ella no demostraba el más mínimo afecto porque casi un tercio de la población venezolana se amontonaba en la capital, gobernando, trampeando, robando o mendigando, y no dejando para el resto de la nación más que las migajas de su gigantesco festín, y su desprecio.

—Algún día las cosas tendrán que cambiar —masculló con la boca seca, masticando el polvo de un llano sin caminos, sin señales, sin médicos y sin gasolina—. Algún día, la riqueza que esta tierra produce, se invertirá realmente en esta tierra.

Cayó la noche.

Su sentido de la orientación de llanero nacido en los llanos, mestizo de india y «baqueano» le permitió seguir el rumbo sin desviarse un metro, pero sintiendo cómo su cabalgadura flaqueaba. Pensó en detenerse, pero recordó la escena del niño sangrando como un toro degollado, y la pierna negra y putrefacta, y animó al caballo pidiéndole un último esfuerzo.

A la izquierda, fuera de su rumbo brilló una luz, y se desvió hacia ella. A medida que se iba acercando, comprendió que era un rancho, apenas una casucha de adobe abierta a los cuatro vientos para que la brisa la refrescara, pero dio gracias a Dios por haberla puesto en su camino.

Un hombre, una mujer y media docena de mocosos comían en torno a una tosca mesa, y se pusieron en pie, respetuosos y asombrados.

El hombre se aproximó al caballo. Lo observó un instante y se volvió interrogante.

—Es mío. Lo va a matar...

—Lo sé. Necesito que lo cambies por el mejor que tengas... El hijo de Sebastián se muere...

—Al instante, General...

El hombre desapareció en la noche, y la mujer se acercó con un plato de latón en la mano.

—Coma algo, general... Aún queda camino hasta Bruzual...

Devoró con ansia las caraotas negras, la yuca y las arepas. Bebió un trago de agua tibia, y ya estaba de regreso el hombre con dos monturas.

—Yo le llevaré —dijo—. De noche se perdería en ese «monte»... Cambiaremos de bestias donde mi compadre.

Cuando León Plaza descabalgó ante la puerta de la casa del médico, había hecho en cinco horas un camino en que normalmente se invertían nueve, pero se encontraba tan agotado, que su compañero tuvo que sostenerle por las axilas para que no se derrumbara.

Llamaron a la puerta. Una muchacha escuálida y renegrida salió a abrir. Cuando preguntaron por el doctor, negó la entrada.

—No son horas... —protestó—. ¡Vuelvan mañana!

La apartó de un empellón y penetró en la casa. Un hombretón semidesnudo estaba repantigado en un sofá de plástico viendo en la televisión una película del Oeste americano en la que un vaquero galopaba interminablemente perseguido muy de lejos por los indios. Ni siquiera alzó el rostro cuando entraron.

—¡Ya oyeron a la chica! —dijo—. ¡No son horas...!

—El hijo de mi peón se muere... —señaló León Plaza procurando conservar la calma—. Le mordió una «mapanare» y tuve que cortarle la pierna.

El hombretón alzó la mirada por primera vez y pareció impresionado al descubrir que se trataba del mismísimo general León Plaza en persona.

—¿Dónde está? —inquirió.

—Donde los Martínez... No había gasolina y tuve que venir a caballo...

—¿A caballo? —se asombró—. Son nueve horas... —Hizo un gesto como dando por concluida la discusión y siguió contemplando la película—. Por nada se molestó, general... Si le mordió una «mapanare» ya está muerto.

—¿Y si no lo está...?

El doctor no apartaba la vista del televisor.

—Lo estaría cuando llegáramos.

—Pero, ¿y si llegáramos a tiempo? ¿No le va a dar esa oportunidad a un niño de siete años...?

Le miró de hito en hito.

—¡No, desde luego...! No voy a destrozar un coche nuevo lanzándome de noche llano adelante para encontrar un lugarejo perdido y certificar la defunción de un niño... ¡Ni hablar!

Dio por concluida la discusión, y de nuevo volvió su atención al televisor que, de improviso, estalló bajo la pesada bota del general León Plaza, que echó mano de su machete y lo esgrimió:

—¡Escucha «hijo-e-puta»...! —amenazó—. Con este machete le corté la pierna al niño, y con él maté a la «mapanare»... —Apretó el puño, y nadie podía dudar de que cumpliría su amenaza—. Con él voy a rajarte si no vienes sin abrir la boca.

El hombretón permaneció unos instantes muy quieto, con los ojos fijos en el arma. Luego gritó hacia dentro:

—¡Niña...! Prepara mi maletín y trae las llaves del coche.

El general León Plaza agitó la cabeza apesadum-
brado:

—¡Lástima de país que sólo camina a base de bayo-
netas y machetes...! —masculló.

W. J. Stone, presidente, para la América Latina, de
la compañía, observó, por encima de la grandiosa mesa
de su despacho, a Rómulo Ramos, que, como siempre,
se mostraba nervioso y tímido en su presencia, retor-
ciéndose las manos como un chicuelo asustado.

Intentó tranquilizarle.

—Nos sentimos satisfechos —dijo, hablando como
siempre de modo impersonal—. Nos sentimos muy satisfechos de su labor... Su último informe fue, en verdad, revelador.

—El ambiente está inquieto —admitió—. La muerte
de Arístides Ungría ha provocado un mar de fondo entre los militares... Era un hombre querido y respetado... La mano derecha de León Plaza...

—¿Cómo ha reaccionado León Plaza...?

—Sigue en el Llano... Si no se ha enterado por la
radio, no creo que nadie se atreva a llevarle la noticia.

—Ese hombre es peligroso —admitió el norteamericano—. Muy peligroso... ¿Está seguro de que no tenía nada que ver con el complot de Ungría...?

—Completamente, señor... —Rómulo Ramos hizo
una pausa, y luego añadió, con cierto tartamudeo—.
Tampoco es seguro que Arístides Ungría estuviera preparando un complot... Son simples rumores...

—«Cuando el río suena...» —sentenció Stone—. Nos
consta que en las altas esferas se sabía algo de lo de

Ungría. —Sonrió con ironía—. Tendría gracia que lo hubieran liquidado los de arriba...

—¡Señor! —La escandalizada protesta de Rómulo Ramos sonaba absolutamente sincera—. No creo a este Gobierno capaz de un crimen semejante... ¡Ni remotamente! ¡Fue un desgraciado accidente, eso es todo!

W. J. Stone buscó un cigarrillo en su caja de oro, le ofreció otro a Ramos, encendió ambos con el pesado mechero también de oro y se irguió en su sillón. Giró en él para volverse a contemplar la ciudad que se extendía a sus pies, más allá de la enorme cristalera que cubría la fachada de parte a parte y del suelo al techo.

Dando la espalda a su interlocutor, comentó:

—Amigo mío, desconfíe de los accidentes demasiado oportunos... —recomendó—. El general Artístides Ungría preparaba algo contra el Gobierno, que podía perjudicarnos también a nosotros. Y le aseguro que ninguna de las compañías lo ha liquidado, aunque usaran petróleo por extraña coincidencia... —Rió con crueldad—. Por desgracia, el pozo que tenía el escape no era de mi compañía... Si lo fuera, podría utilizar un nuevo eslogan: «Nuestro petróleo no sólo llena su tanque. También liquida a sus enemigos...»

Ramos estuvo a punto de replicar que eso era lo menos gracioso que había oído en su vida, pero no lo hizo. Temía demasiado a aquel gringo frío, flemático e indiferente, que contemplaba Caracas como si fuera de su propiedad.

El otro seguía sin mirarle.

—Sin embargo —añadió—, lo ocurrido a Ungría ha servido para despertarnos de un largo letargo... —Se volvió bruscamente y lo miró a los ojos—. Si un general puede preparar un golpe de Estado sin contar con nosotros, otro más puede hacerlo, y eso no nos conviene. Nadie sabe cuáles serían sus ideas y sus proyectos... —Hizo una pausa y apagó su cigarrillo, apenas consumido—. Dígame, Ramos... ¿Qué generales están en condiciones de alzarse con el poder en este país...?

Rómulo Ramos comprendió desde el primer momento la intención de la pregunta, pero quiso darse tiempo para meditar y asegurarse de lo que se pretendía de él.

—¿Se refiere a un golpe de Estado...?
—Naturalmente...
—¿Un Pérez-Jiménez con treinta años menos...?
—Exactamente... —W. J. Stone parecía considerar el tema con la más absoluta naturalidad—. Si los militares se muestran inquietos y existe alguna posibilidad de que se alcen con el poder, más vale que nosotros canalicemos sus aspiraciones a que lo hagan los comunistas... Una nueva Cuba en Venezuela significaría un desastre para la América Latina y para el mundo.

«Y, sobre todo, para las compañías petroleras», estuvo a punto de añadir Rómulo Ramos, pero no lo hizo, porque apreciaba su papel de director-propietario del mejor negocio de automóviles de Caracas. Trató de hacer memoria, se rascó la sien y, al fin, señaló:

—En primer lugar, y como único hombre que estaría en condiciones de hacerse con el poder sin demasiado esfuerzo, tenemos al general León Plaza...

—Sí, claro, Plaza... —admitió el Presidente—. Eso lo saben hasta los niños de pecho, Ramos... Pero también saben que jamás nos demostró simpatía, y trató de «envainarnos» en cuanto tuvo la menor oportunidad. Con ese hombre en el poder, le aseguro que ni usted ni yo estaríamos ya en este despacho... ¡Déjese de tonterías y nómbreme otro! ¡Usted sabe qué clase de general necesitamos...

Rómulo Ramos lo sabía muy bien y comenzó a dar nombres, que Stone apuntó en un papel con su pluma de oro.

—Los más influyentes son Óscar Villegas, Abelardo Cabello y Washington García-Ramos... —Hizo una pausa—. Pero quizás el único que aceptaría es, a mi modo de ver, Arnaldo Calderón...

—¿Por qué Calderón...?

—Porque siempre fue un «ultra» perezjimenista y porque acaba de pedirme un crédito para un «Mercedes» deportivo —replicó con tranquilidad—. Quiere regalárselo, sin que su mujer se entere, a una de las bailarinas del «Panamá-Fire», un *ballet* que anduvo por aquí de gira. La tipa es una golfa, pero le volvió loco. La retiró, y ahora le ha montado un apartamento a cuatro cuadras de su casa... —Sonrió con divertida ironía—. Arnaldo Calderón sería capaz de cualquier cosa... Incluso de convertirse en presidente de Venezuela...

—Bien... —admitió Stone—. Empezaremos a tantear a Calderón... De momento, llámele y dígale que puede llevarse el «carro» cuando quiera... —Hizo una pausa—. También necesitaremos periodistas... —añadió—. Hágame una lista de los más influyentes que no estén ya ligados a nosotros... Prensa, revistas, Radio y Televisión.

Rómulo Ramos se mostró en abierto desacuerdo por primera vez:

—No creo que sea el momento... —señaló—. No conviene levantar la liebre... Los de arriba no son tontos...

W. J. Stone lo observó, un tanto desconcertado. Al fin, pareció comprender e hizo un gesto con la mano para tranquilizarle.

—¡Oh, no! —dijo—. No vamos a hablarles de un

golpe de Estado. Ni siquiera les pediremos que empiecen a destacar la figura del general Arnaldo Calderón... Él tiene que surgir de pronto. De la nada... —sonrió—. Queremos hablar de plantas nucleares...

—¿Plantas nucleares...? —se extrañó Rómulo Ramos—. ¿Qué tiene eso que ver con nosotros...?

—La Compañía acaba de adquirir el paquete mayoritario de las acciones de una empresa dedicada a la prospección y explotación de uranio y la construcción y puesta en marcha de plantas eléctricas de energía nuclear... —Sonrió al advertir el desconcierto que se reflejaba en el rostro de su interlocutor—. No se asombre... —añadió—. Ya para nadie es un secreto que, de las ochenta y tres grandes empresas dedicadas a la energía nuclear, veinte pertenecen hoy a las compañías petrolíferas... ¡Los tiempos cambian...! —suspiró—. Hay que diversificarse y evolucionar, si no se quiere permanecer estancado... Es hora de reconocer que la OPEP se nos empieza a ir de las manos y el negocio del petróleo se vuelve incontrolable... También es hora de que la opinión pública comience a admitir que las plantas de energía nuclear no representan peligro alguno. Ni para ellos, ni para la Naturaleza...

—¡Pero eso es lo contrario de lo que ustedes han dicho siempre...!

A W. J. Stone no le preocupaba en absoluto mostrarse cínico con su subordinado:

—Cambiar de opinión es de sabios, amigo Ramos... No lo olvide... Y si fuéramos tontos, no habríamos manejado el negocio del petróleo durante tanto tiempo... Recuerde lo que voy a decirle. Dentro de diez años, el mundo de la energía habrá dado un vuelco... Conviene ir preparándose desde ahora... La batalla por el dominio de la energía nuclear está a punto de estallar...

Anne-Marie sentía la necesidad de gritar, morder, llorar y dar gracias al cielo por el placer que estaba sintiendo, o de maldecir por la profundidad del dolor que ese placer le producía al mismo tiempo. Una y otra vez, incansable, como una máquina rítmica y programada, el hombre entraba y salía de ella, presionaba sobre su vientre, sobre sus pechos y entre sus muslos, provocando un orgasmo tras otro, haciéndola sudar, babear y jadear como si el aire se negase a bajar a sus pulmones.

Sonó el teléfono.

Por unos instantes se diría que ni siquiera lo oyeron, inmersos por completo en su mundo de placer, pero el timbre repicó una y otra vez, insistente, escandalizador, amenazando con despertar a toda la casa a las dos de la mañana, y fue la señal para que el hombre tuviera su orgasmo y quedara tendido, agotado, sudoroso y también jadeante sobre su cuerpo.

A tientas, a la escasa luz de la diminuta lámpara, Anne-Marie extendió la mano hacia la mesilla de noche, descolgó el aparato y, casi sin aliento, inquirió:

—¿Quién es...?

—¿Anne-Marie...? —se creería que León Plaza no se encontraba a miles de kilómetros de distancia, al otro lado del océano, y su voz en la noche sonaba tan clara y nítida como si hablara desde la habitación de los chicos—. ¿Anne-Marie, eres tú...?

El corazón de Anne-Marie estuvo a punto de paralizarse tras el enloquecido golpeteo a que había estado sometido hasta ese instante, y pareció, por la palidez de su rostro, que la última gota de sangre había huido de su cuerpo. Su voz se quebró:

—¡No! —suplicó sin saber a quién—. Otra vez no, por favor... No es justo...

—¿Anne-Marie...? —insistió la voz—. Soy yo, León.

Con la mano libre, se esforzó por apartar a Gérard que seguía sobre ella y dentro de ella.

—¡Quita! —rogó—. ¡Es León!... —Luego habló ante el micrófono del aparato—: Dime, León... ¿Qué ocurre...?

—Han asesinado a Arístides... —El tono de León Plaza era frío, duro, desconocido para ella—. Mataron también a Patricia y a Adriana... —Fue como un sollozo—. ¡Era mi ahijada!

Por unos largos instantes, que tal vez se le antojaron horas, no supo qué decir. La noticia era demasiado cruel, demasiado brutal, y por su mente cruzaron los rostros de Arístides Ungría, tan gentil y amable siempre, su preciosa y enamorada esposa y la mujercita que conoció un día de pasada, cuando saludó desde una moto en marcha al «tío León».

Al bajar los ojos se descubrió desnuda, con las piernas abiertas, sucia y baboseada, y no se sintió capaz de mentir.

—León... —dijo muy despacio—. ¿Recuerdas la última noche... Cuando Gérard llamó? La situación es la misma... —hizo una pausa—. Él está aquí conmigo.

Notó su dolor incluso a través de los miles de kilómetros de hilo telefónico.

—Lo sé... —admitió al fin—. Lo imaginé desde que

descolgaste el aparato... —Hizo una pausa—. Pero te necesito, Anne-Marie...

Gérard había desaparecido en el cuarto de baño. Oyó el rumor de la ducha al caer. Le agradeció, una ve más, su delicadeza.

—Yo también te necesitaba, León... —se lamentó—. Por dos meses aguardé una palabra tuya... ¿Por qué ahora, cuando mi vida vuelve a su cauce y estoy reencontrando a Gérard y a los chicos?

—Fue hoy cuando supe la muerte de Arístides...

—Yo no puedo hacer nada, León... —señaló con amargura—. No puedo hacer nada por ellos... —Dejó caer sus últimas palabras—. Ni por ti...

El silencio fue largo y tenso. No necesitaba verlo para saber que allá, en su hotel de Caracas, León Plaza asentía con la cabeza.

—Lo comprendo... —fue todo lo que dijo, y colgó.

Anne-Marie de Villard permaneció con el auricular en la mano observándolo absorta, hasta que su marido regresó al dormitorio. La contempló desde la puerta.

—¿Cuándo te vas...?

Volvió a la realidad, colgó el aparato y denegó con un gesto.

—Nunca —afirmó convencida—. Cuando te dije que todo había pasado, no mentía... —añadió—. Fue una especie de locura, como un sueño que otra persona hubiera vivido, no yo. Me hizo mucho daño, tú lo sabes... No quiero volver a ello.

—¿Tienes miedo...?

Fue al baño sin responder. Se lavó concienzudamente y regresó envuelta en una bata azul. Buscó en su bolso un cigarrillo, lo encendió y se sentó en la pequeña butaca. Gérard se había acostado de nuevo.

—No es miedo —dijo, contestando a una pregunta que había tenido sobrado tiempo de meditar—. Es

la aceptación de una realidad. Nací para ser tu esposa
y la madre de mis hijos. Ése es mi destino, y como
mujer debo admitir que los años pasen, a menudo me
desatiendas y los chicos cada día necesiten menos de
mí... ¡Así es la vida...! Es algo que va unido a la condición de mujer... —Hizo una pausa triste, casi amarga, en la que fumó despacio y observó cómo el humo
del cigarrillo jugueteaba en su ascensión hacia la lámpara de noche—. Lo otro, lo de León, fue un espejismo.
La irreal sensación de que, de pronto, volvía a ser joven, empezaba otra vida, y me quitaba veinte años de
encima... —Sonrió amargamente—. ¡Como si eso fuera
posible...!

—Lo ha sido...

—Unos días. Unas semanas... Unos meses quizá,
pero, a la larga, volvería a ser la mujer que va a cumplir cuarenta años y añora su hogar y encontrar des-
perdigada por los rincones la ropa de los dos gamberros que tiene por hijos, y que dan al cabo del año más
disgustos que alegrías... ¡No! —admitió convencida—.
Yo no valgo para hablar de economía como un loro
amaestrado, acostarme a las tres de la mañana y hacer
el amor como una quinceañera... —Aplastó el cigarrillo
en el cenicero y se dispuso a tumbarse junto a su marido—. Puede que parezca bonito y excitante... —concluyó—, pero tengo la impresión de que, a la larga, tanta excitación acabaría por provocarme ardor de estómago...

Se introdujo bajo las mantas, se arrebujó y recostó la cabeza en el pecho de Gerard.

—Lo único que pido —dijo— es que de vez en cuando me hagas el amor como esta noche... —sonrió—.
A menudo olvidamos durante demasiado tiempo de lo
bueno que es.

Durmieron abrazados, y los despertó, a las nueve

de la mañana, un insistente golpear en la puerta,

—Dos señores, preguntan por ti, mamá... ¡Es urgente!

Cuando, juntos, entraron en el salón, les sorprendió encontrarse frente a un Christian Auclair-Langeais con cara de mal humor y de no haber pegado un ojo en toda la noche. Le acompañaba un hombre alto, desgarbado y de gesto adusto.

—Pierre Galán —señaló Christian como si aquella presentación fuera la tarea más desagradable que le hubiera tocado realizar en muchos años—. El señor y la señora de Villard... Perdonad la intromisión tan de mañana, pero me sacaron de la cama a las cuatro... —Se dirigió directamente a Anne-Marie—. ¿Te llamó León Plaza anoche...? —inquirió.

Fue Gérard el que respondió por ella. Se le notaba molesto y punzante.

—¿Es una pregunta o una afirmación...?

—¡Qué más da! —se quejó «Monsieur le Ministre»—. Llamó León Plaza, eso es lo que importa. Te pidió que volvieras y le dijiste que no. ¿Por qué?

—Eso es asunto mío. —Ahora fue Anne-Marie la que se apresuró a responder—. Mío y de mi esposo. De nadie más.

Christian Auclair-Langeais se volvió a su acompañante con una cierta expresión de temor, como si esperase una brusca explosión por su parte, pero el llamado Pierre Galán se había limitado a apoyarse en la esquina de la librería y observar la escena. Sin embargo, resultaba patente que sus oscuros ojos no perdían detalle de cuanto estaba ocurriendo. Más que un ser humano, parecía un águila pescadora acechando desde lo alto de una rama. Convencido de que no iba a hablar, Christian recuperó el protagonismo de la conversación.

—Creo que en eso te equivocas Anne-Marie... —replicó esforzándose por mostrarse natural—. Sabías lo que nos jugábamos en esto y aceptaste tomar parte... —Extendió las manos en muda súplica—. No puedes alegar que no nos concierne.

Ella tomó asiento en el amplio sofá y observó con cierta prevención al desconocido. Su rostro le resultaba vagamente familiar. Intentó hacer memoria, pero no logró recordar dónde lo había visto.

—De acuerdo —admitió con naturalidad—. Os concierne: llamó León Plaza, me pidió que volviera y le dije que no. Sencillamente, he cambiado de idea. No quiero seguir en este asunto.

—Esto no es una partida de «bingo», en la que cada cual se larga cuando le viene en gana... —Pierre Galán hablaba tan bajo y tan profundo, que costaba un gran esfuerzo adivinar qué era lo que estaba diciendo. Cada una de sus palabras, casi musitadas, constituía, sin embargo, una especie de amenaza—. Cuando alguien acepta una misión semejante, debe seguir con ella hasta el final...

—¿«Misión»? —protestó Gérard—. ¿Qué «misión»...? Anne-Marie no aceptó misión alguna... Quiso ayudar hasta donde buenamente pudo. No está obligada a más.

—Eso lo decidiremos nosotros... —replicó el «hombre-aguilucho» sin mover un músculo ni alzar su voz casi ininteligible—. Únicamente nosotros.

Anne-Marie parecía sorprendida, impresionada y un tanto asustada por la presencia del extraño. Gérard se indignó. Lo señaló con el dedo volviéndose a Christian.

—¿Quién es éste...? —inquirió, excitado—. ¿Por qué lo has traído a mi casa...?

«Monsieur le Ministre» no supo qué decir. Era quien más incómodo se sentía, y le resultaba absolutamente imposible aclarar nada. Se limitó a encogerse de hombros, dar media vuelta y mirar por la ventana con las manos sujetas a la espalda, como si todo aquello no fuera con él.

Fue Pierre Galán el que despejó la incógnita, aunque para ello permaneció igualmente impasible, sin alzar un ápice la voz:

—«Éste» es alguien que puede hacer que usted pierda su cátedra en menos de dos horas y que su esposa tenga que responder de una acusación en firme por conspiración contra el Estado.

La afirmación resultaba tan absurda pero estaba dicha, al mismo tiempo, con tanto aplomo y seguridad, que Gérard y Anne-Marie de Villard permanecieron idiotizados, sin saber qué decir ni cómo reaccionar. Gérard se dejó caer, abatido al lado de su esposa.

—¡Es cosa de locos! —musitó casi balbuceando—. Cosa de locos... —Poco a poco fue reaccionando, como si le costara trabajo asimilar lo que acababa de oír—. ¡Cosa de locos! —repitió—. ¡Esto es Francia...! Un país civilizado. Una democracia en la que cada ciudadano tiene sus derechos...

—Los derechos de los ciudadanos acaban donde comienzan los deberes del Estado —fue la respuesta—. Y, en este caso, el Estado tiene un deber que cumplir. No sólo con cincuenta millones de franceses, sino con muchos millones más de seres humanos de todo el mundo... —Pierre Galán seguía hablando tan bajo, que sólo el helado silencio que se había hecho en la habitación permitía que se le oyese—. Este año los países importadores tendremos que pagar casi doscientos mil millones de dólares por un petróleo sin el que no podemos vivir. Y la OPEP amenaza con volver a subir el precio en junio... —Continuaba sin alterarse, como si estuviera rezando el rosario en voz muy queda—. ¡Doscientos mil millones de dólares...! —repitió—. En una década, todo lo que hemos construido durante generaciones y generaciones de trabajo, sacrificio, estudio, investigación, paz o guerra, habrá ido a parar a las manos de media docena de árabes analfabetos, que durante los últimos seiscientos años no hicieron más que cuidar cabras, sodomizar chiquillos y apalear esclavos... —Agitó la cabeza y, por primera vez, sus ojos brillaron levemente—. ¡León Plaza es, quizá, nuestra única esperanza de escapar a ese destino, y usted me habla de derechos ciudadanos...!

—¡No puede obligarme a volver a Venezuela...! —protestó—. Y ahora lo recuerdo... Usted estaba allí... Lo vi un día en el hotel.

—Sí —admitió con naturalidad—. Estaba allí... Y allí estaremos de nuevo, pasado mañana...

—¡Nunca...!

—Escuche... —respondió el otro con absoluta tranquilidad—. Su hijo mayor acaba de ser detenido a la entrada de la Universidad... Llevaba ciento cincuenta gramos de heroína pura en el bolsillo del abrigo... De usted depende que se le acuse de traficar con drogas, o se aclare, de inmediato, que se trata de un error...

León Plaza almorzaba a solas en la más apartada de las mesas del Club «La Cabaña» de la piscina del hotel «Tamanaco».

Pensativo, apenas prestaba atención a quienes le saludaban desde lejos, ni a Hugo, el camarero que le atendía y con el que a menudo intercambiaba comentarios sobre el estado del tiempo, las carreras de caballos o los resultados del béisbol.

En aquella mesa del rincón habían almorzado el último día que Anne-Marie pasara en Caracas, antes de que le confesara cuál era su cometido en Venezuela y cómo todo había sido una trampa en la que él tenía que caer.

En sus solitarias noches de la hacienda, había meditado durante aquellas semanas en el meticuloso «plan europeo» y en lo que podía significar para Venezuela, pero la sola idea de un golpe de Estado le revolvía el estómago. Pese a sus defectos, que como venezolano se los reconocía, el suyo era un país que, en poco menos de veinte años, desde la caída de la dictadura de Pérez-Jiménez, había ido aprendiendo, duramente, pero con dedicación, el difícil sentido de la palabra democracia. Desde los revueltos y sangrientos tiempos del mandato de Betancourt, primer presidente electo libremente, a la tranquilidad y el civismo de los últimos comicios mediaba, en verdad, un abismo.

Las elecciones de 1973 habían constituido una auténtica fiesta, una especie de gigantesco carnaval en que los partidarios de uno y otro candidatos esgrimieron sus banderas y sus eslóganes con idéntico entusiasmo y criterio con que solían hacerlo los «hinchas» de los equipos de fútbol. Y aunque el partido que se encontraba en el poder perdió por muy escaso margen de votos, entregó el Gobierno sin resistencia, porque Venezuela así lo quería.

Él, León Plaza, no podía traicionar ese espíritu de sus conciudadanos. No podía echar por la borda una lección por todos aprendida a un costo demasiado alto, por el simple hecho de haberse enamorado, o convencerse de que existía un camino mejor para el futuro económico y social de su país.

Las leyes le daban otros medios. Nadie le impedía preparar su campaña, exponer sus planes —«el plan europeo»— y presentar su candidatura a las elecciones presidenciales de 1978. Las Fuerzas Armadas le respaldarían, y si ninguno de los grandes partidos siempre en litigio: Acción Democrática, o Democracia Cristiana, le elegían como su candidato, nada le impedía constituir un tercer grupo y alzarse con los votos de los que tradicionalmente nunca estaban de acuerdo con las dos opciones anteriores. Un año lo había intentado Uslar Pietri; otro, Bureli Rivas. Si estuvieron a punto de lograrlo con sus solas fuerzas, ¿por qué no León Plaza, al que siempre se lo habían pedido...?

Pero en el fondo de su alma odiaba la política. Odiaba aquella servidumbre del candidato que debe recorrer el país de punta a punta, recibiendo aclamaciones y pronunciando interminables discursos de los que sabe de antemano que más de la mitad de las cosas que promete jamás llegará a cumplir. Le constaba, además, que no podría presentarse con la verdad por delante y confesar al mundo que, a su modo de ver, lo que Venezuela necesitaba era dar un giro a su política y abandonar a sus explotadores de siempre, los norteamericanos y a sus aliados de última hora, los árabes de la OPEP.

Ni los norteamericanos ni los árabes se lo permitirían, y acabarían con él de un tiro en la nuca en cuanto sospecharan que pretendía poner en peligro sus intereses.

La prueba estaba en la muerte de Arístides Ungría. Al recordarla, sintió una especie de punzada en el pecho. Eran muchos años de amistad y colaboración. Años de estudio en la Academia. Años de curso en Europa y los Estados Unidos, y años de destinos comunes llenos de comunes ilusiones. Y la niña..., la pobre Adriana, achicharrada sin tiempo de haber disfrutado de una vida que se le presentaba tan prometedora.

Se preguntó quién podría haberlo hecho. El Servicio de Inteligencia Militar aseguraba que, a su entender, la CIA no tenía que ver en el caso. La CIA se encontraba aletargada, a la espera de nuevos tiempos y nuevos rumbos con la reciente subida al poder del presidente Carter, que ya había cambiado al director de la Agencia. Pasarían meses antes de que la CIA comenzara a engrasar sus máquinas y actuar con normalidad, permitiéndose la libertad de asesinar salvajemente a un general de una nación «amiga».

La posibilidad de accidente había sido descartada incluso por la Policía técnica judicial. Un testigo aseguraba haber visto cómo una lancha se alejaba a toda velocidad del lugar de los hechos. Esa lancha, roja y blanca, no aparecía. Se trataba sin duda, de un atentado; pero, ¿por parte de quién?

Advertía una especie de conspiración de silencio en torno a la muerte de Arístides, como si todos temieran referirse a un tema peligroso, y eso le indignaba. El nombre de Arístides Ungría debería quedar libre de toda mancha, y no estaba dispuesto a aceptar que, a la iniquidad de un asesinato no aclarado, se añadiese la iniquidad de la sospecha de algo turbio.

Se había entrevistado con el ministro, pero éste se había escabullido con evasivas. Había pedido audiencia al Presidente, pero el Presidente salía de gira dos días más tarde y no le recibiría hasta su regreso. Años atrás, a León Plaza le hubiera bastado con presentarse ante las puertas del Palacio de Miraflores y penetrar hasta el mismísimo despacho presidencial sin que nadie se atreviera a cerrarle el paso. Algo había cambiado. Su instinto se lo señaló ya una vez, y se le confirmaba ahora; algo turbio se estaba tramando, y le molestaba no saber qué era.

Se negaba a aceptar que, tal vez, todo estuviera ligado al «plan europeo» que Anne-Marie le propusiera, y se preguntaba hasta qué punto Arístides Ungría debía encontrarse involucrado. Había sido él quien viniera a buscarle al Llano para decirle que se había encontrado «por casualidad» con Madame de Villard en la fiesta de la Embajada. Había sido él quien, durante las conversaciones de aquellos días, sacara a colación, una y otra vez, los problemas por los que atravesaba Venezuela, y quien le propusiera, por último, mantener conversaciones con otros mandos militares, para tratar de obtener una impresión general sobre sus puntos de vista.

—Tienes que recuperar el liderazgo del Ejército —le insistió repetidamente—. La semana próxima dan una recepción en el Club de las Fuerzas Armadas. Deberías asistir y relacionarte más con los compañeros...

No quiso aceptar, y ahora se preguntaba si Arístides habría decidido actuar por su cuenta y era eso lo que le había costado la vida.

¿Por qué?

A un oficial en rebeldía, si es que aquello podía considerarse rebeldía, se le llamaba la atención, se le sometía a expediente disciplinario o, en último caso, se le llevaba ante un Consejo de Guerra. Nunca, en ninguna circunstancia, resultaba admisible «liquidarle» por procedimientos gangsteriles, sacrificando con él a víctimas inocentes.

Llamó a Hugo y pidió otra cerveza. Helada y espumosa, era lo único que le apetecía desde que, dos días atrás, perdiera el apetito al conocer la noticia. Permanecía horas y horas ante un plato, comprendiendo que debía comer, pero sin ánimos para tragar bocado, triste y vacío, sintiéndose más sólo que nunca, porque —ahora se daba cuenta de ello— Arístides Ungría y Patricia eran, en el fondo, su propia familia.

Desde la muerte de Dominique se había acostumbrado a que ellos constituyeran su refugio en Caracas; la casa donde a menudo se hospedaba; la compañía para ir a cenar o al cine y los amigos con los que pasar largas horas navegando por un mar tranquilo en el *Pat IV*. Luego, durante un fugacísimo período de tiempo maravilloso, Anne-Marie cruzó por su vida, y le alegró advertir con cuánta facilidad congeniaban, hasta el punto de que se podría creer que, de improviso, regresaban los viejos tiempos en que constituyeron dos matrimonios casi inseparables.

Ahora estaban muertos, y Anne-Marie jamás regresaría. Rememoró la escena y la sinceridad con que ella admitió que había sido tan estúpida como para cometer el mismo error que Gérard cometiera anteriormente. Por primera vez en su vida, experimentó lo que significaban los celos. La mujer que amaba y que había poseído, se encontraba al otro lado del teléfono respirando fatigosamente a causa del placer que otro le estaba proporcionando. Recordó el cuerpo de Anne-Marie, sus rotundos pechos y la suavidad del vello de su pubis cuando lo besaba. Se vio luego solo para siempre en sus llanos, incapaz de encontrar nuevos amigos, envejecido y olvidado y sintió una profunda lástima de sí mismo. Él, León Plaza, el general más temido, respetado y querido de Venezuela; el hombre que podía aspirar a la presidencia de la República y al que tantos envidiaban, se sabía, en el fondo, acabado.

Cortó un pedazo de su «asado criollo», lo embadurnó morosamente de salsa «huasacaca» verde y se lo llevó a la boca con desgana. Lo masticó largo rato, como un rumiante pensativo, contemplando, sin ver, al grupo que unos metros más allá escandalizaba en torno a una mesa de dominó, ni a las preciosas muchachas en bikini que tomaban el sol sobre la hierba. Se sentía tan lejos del mundo, tan aislado, como el muchachito americano que llevaba seis años de su vida enfermo, encerrado en una campana de cristal.

Continuó masticando hasta que el pedazo de carne quedó convertido en una papilla insípida, que no se sintió con fuerzas para tragar. Oteó discretamente a su alrededor, comprobó que nadie le observaba, y lo lanzó sobre su hombro, a la Autopista del Este que cruzaba justamente bajo la trasera de «La Cabaña». Buscó una vez más su cerveza, que ya estaba caliente, y por señas, pidió a Hugo otra nueva. Luego advirtió que el capitán Fonseca había hecho su aparición en la entrada de la piscina y se encaminaba directamente hacia donde él se encontraba. Hubiera deseado esconderse, pero comprendió que sería una estupidez. Fonseca había sido uno de sus más fieles colaboradores durante años, y no era cuestión de empezar a esconderse de todos.

El capitán vino derechamente hacia él, se cuadró

respetuosamente y aceptó el asiento que le indicó con un ademán de la cabeza.

—¿Me buscaba, Darío...?

—Sí, mi general. Hace días que quería hablar con usted, pero no sabía dónde encontrarle... Como siempre se hospedaba en casa del general Ungría...

—Entiendo... ¿En qué puedo ayudarle...?

El capitán Darío Fonseca pareció cerciorarse de que no había nadie por los alrededores; pero, aun así, bajó un punto la voz.

—Se trata del general Ungría, señor... —comenzó—. Días antes de su muerte, me pidió que investigara las actividades de un tipo... Un libio, consejero de Embajada: Hassán Ibn-Aziz...

—Lo conozco —admitió León Plaza—. Fui yo quien sugirió que convendría saber a qué se dedicaba realmente... Me pareció... ¿Cómo diría yo...? Que se pasaba de tonto...

—Eso me pareció también a mí al principio, mi general... Encargué a algunos de nuestros mejores hombres que averiguaran algo sobre él...

—¡Ah!

El capitán Darío Fonseca conocía de muy antiguo los «¡Ah!» del general León Plaza. Eso le animó a seguir adelante.

—Tengo la impresión de que se trata de un pájaro de cuenta... Mantiene contactos con una serie de personas de todos los niveles. Por lo común, gente que se relaciona, más o menos directamente, con Presidencia y con el ministro del Petróleo.

—Era de suponer... ¿La OPEP...?

—Algo de eso, señor... —admitió—. Debe de ser uno de los tipos mejor informados de cuanto ocurre en Venezuela que conozco.

Hugo trajo dos nuevas cervezas heladas y un «asado» casi crudo, que Fonseca pidió y comenzó a devorar con envidiable apetito, sin percatarse de que su superior apenas probaba bocado.

Por su parte, el general León Plaza se limitó a apurar su jarra de cerveza hasta el fondo. Suspiró satisfecho y agitó la cabeza.

—Mantenerse informado no constituye delito, Darío... No me gusta ese «turco», pero no creo que podamos hacerle nada por eso...

—No, desde luego... —El capitán Darío Fonseca metió la mano en uno de sus bolsillos y extrajo una foto, que dejó sobre la mesa—. Pero todos los domingos se reúne con esta chica en un edificio de apartamentos de la Tercera Avenida de los Palos Grandes... Los lunes o los martes, la chica ingresa de dos a cinco mil bolívares en una de sus cuentas... La criatura tiene ahorrado un «capitalito» de más de medio millón.

León Plaza tomó la foto, la estudió y negó convencido.

—Debe de hacer maravillas en la cama, o no entiendo que nadie le pague cinco mil bolívares...

—No es eso, mi general... La chica es una de las secretarias de confianza de Miraflores... Gana dos mil cuatrocientos bolívares mensuales, más pagas extras, y gasta la mitad en vivir. Nadie que haya tenido «relaciones», siempre «antinaturales» con ella, le ha pagado nunca un centavo, y su madre no le dejó una «locha»... ¿De dónde ha sacado medio millón de bolívares...?

—Entiendo... Hassán Ibn-Aziz debe de llevar mucho tiempo pagando esas sumas... ¿Lo sabe alguien más, Darío...?

—Nadie, aparte de los nuestros, señor...

—¡Bien...! —León Plaza se concentró en sus pensamientos y en su ceñuda expresión, y el capitán Fonseca redescubrió al general de otro tiempo, capaz de analizar cualquier problema en un instante y llegar directamente al nudo de todas las cuestiones. Una nueva animación brillaba en sus ojos, aunque él mismo no se diera cuenta, cuando señaló:

—Póngase en contacto con nuestros hombres en palacio... Que averigüen a qué clase de información tiene acceso esa chica... Que los vigilen... Quiero que me tengan informado de cuanto hagan, y si advierten algo anormal, que me avisen a cualquier hora del día o de la noche... —Hizo una pausa, y añadió con gesto decidido—: Intentaremos atraparlos con las manos en la masa... Este «turco» es astuto y cuenta con inmunidad diplomática... Si no encontramos pruebas muy concretas de sus actividades, se limitarán a declararle «persona *non grata*», y no es eso lo que quiero...

—¿Y qué es lo que quiere, señor...? —se atrevió a preguntar el capitán Darío Fonseca.

—Aún no lo sé —admitió León Plaza con sinceridad—. Aún no lo sé...

que algún día, Norteamérica y la CIA se acordarían de él.

Tras su tercera charla con Rómulo Ramos, acabó manteniendo una entrevista secreta con W.J. Stone, que mostró claramente su desencanto al comprobar que no era la CIA la que se movía en las sombras. Stone y Rómulo Ramos procuraron tranquilizarle, cuidando que lo que podía hacer la CIA lo podía hacer también la Compañía con mayor libertad y menos...

Arnaldo Calderón se mostró particularmente receptivo a la menor insinuación que se le hizo.

Podría decirse que, en el fondo, Arnaldo Calderón aguardaba desde hacía años a que alguien le hiciera una insinuación semejante, del mismo modo que se la había hecho a varios compañeros de estudio en la «Escuela de las Américas», de Panamá.

«Criado a los pechos» de la dictadura de Marcos Pérez-Jiménez, Arnaldo Calderón era uno de los generales duros de la vieja escuela que la democracia no había decidido dar de baja definitivamente por temor a la reacción de la pequeña camarilla de sus contemporáneos, que constituían el ala más radical de las Fuerzas Armadas. Quitar de en medio, sin necesidad de causa justificada, al viejo halcón andino, constituyó una de las aspiraciones frustradas de los cuatro últimos presidentes, incapaces de desmontar legalmente el complicado andamiaje de un Ejército en el que una minoría poderosa aún suspiraba por los dorados tiempos del perezjimenismo.

Su paso por la «Escuela de las Américas», y ver cómo muchos de los que compartieron con él aquellas aulas de la zona norteamericana de Panamá fueron elevados más tarde por la CIA a los palacios presidenciales de la mayoría de los países vecinos, había hecho concebir al general Arnaldo Calderón la esperanza de que, algún día, Norteamérica y la CIA se acordarían de él.

Tras su tercera charla con Rómulo Ramos, aceptó mantener una entrevista secreta con W. J. Stone, aunque mostró claramente su desencanto al comprender que no era la CIA la que se movía en las sombras.

Stone y Rómulo Ramos procuraron tranquilizarle señalando que lo que pudiera hacer la CIA lo podía hacer también la Compañía con mayor libertad y medios económicos, pero eso no convenció en absoluto al general, que era ya perro viejo en semejantes lides.

—Únicamente una situación de crisis muy grave; de desconcierto nacional en el que nadie supiera qué es lo que podría ocurrir en las próximas horas, permitiría, sin el respaldo de la CIA, alzarse con el poder... Sólo eso justificaría echar mis tanques a la calle, implantar la ley marcial y dominar la situación en cuestión de horas... —Hizo una pausa—. Tal como se encuentra el país, todo lo que no sea un golpe de mano relámpago, está condenado al fracaso...

—¿Cuál puede ser el motivo que desencadene esa crisis y ese desconcierto...? —quiso saber W. J. Stone.

El viejo andino, más viejo por zorro que por edad, pues aún se sentía con fuerza como para perder la chaveta por una cabaretera panameña, semicerró sus astutos ojillos, y hasta la última arruga de su arrugado rostro se marcó como dibujada a pincel.

—La desaparición física del ejecutivo.

—¿Un atentado...? —se asombró W. J. Stone—. ¿Un asesinato?

—¿Por qué no...? —admitió con naturalidad—. En casos como éste, lo normal es que alguien caiga... —Sonrió—. Desde un punto de vista humano, más vale que caiga un político que, al fin y al cabo sabe de antemano a lo que se expone, a que mueran unos inocentes que nada tienen que ver con el asunto... «Servidumbres del poder»...

W. J. Stone se preguntó por un instante si la elección de Arnaldo Calderón no habría constituido un error por parte de Rómulo Ramos. El viejo general se le antojaba tan cínico y desvergonzado, que llegaba incluso a atemorizarle. Había que remontarse a las dictaduras caribeñas de treinta años atrás, para encontrar un antecedente parecido a aquella forma de expresarse y aquella socarronería desenfadada. La nueva generación de dictadores sudamericanos que dominaban el continente desde la frontera de México hasta la Patagonia, procuraban, por lo menos, mantener una apariencia de dignidad y un cierto estilo.

Imagino lo que podría ocurrir con un hombre como aquél, sentado en el sillón presidencial de Miraflores y experimentó un leve estremecimiento de malestar. Las tiranías de Juan Vicente Gómez o Marcos Pérez-Jiménez constituirían un período glorioso de la historia nacional comparado con lo que aquel individuo aportaría.

Por unos instantes estuvo tentado de abandonar el proyecto, pero recordó las órdenes que recibiera y los rumores que corrían sobre debilitamiento del bloque de la OPEP. Al fin y al cabo, ¿qué otra clase de individuo aceptaría escuchar el tipo de proposición que le estaban haciendo...?

Agradeció la presencia de la esposa de Rómulo Ramos, que se aproximó por el jardín portando una bandeja con los cafés. Necesitaba reflexionar y lo hizo aprisa. Desvergonzado o no, Arnaldo Calderón era el hombre idóneo para lo que tenía en mente. Venezuela constituía uno de los pilares sobre los que se mantenía el edificio de la Compañía, y la Compañía había decidido apretarle las tuercas a ese pilar sin consentir, en modo alguno, que se les escapara de las manos.

La baza que estaba en juego era demasiado importante. No se trataba ya únicamente del petróleo, sino de la supervivencia. La «Exxon» y la «Gulf», dos de sus grandes rivales, habían iniciado ya tiempo atrás la gran carrera hacia el uranio y llevaban ventaja. Si la compañía no obtenía en los próximos años fabulosos beneficios que le permitieran invertir cantidades astronómicas en el desarrollo de las técnicas nucleares, y la búsqueda del abastecimiento masivo de minerales radiactivos, la «batalla por la energía» la tenían perdida de antemano.

Antes de ocho años el mundo exigirá más de noventa mil toneladas anuales de uranio enriquecido y, en la actualidad, la producción alcanzaba apenas veinte mil toneladas. Los «genios» de la compañía, allá en Nueva York, habían calculado que se necesitaría una inversión de más de veinte mil millones de dólares en dos décadas para investigaciones en el terreno de la nueva fuente de energía si se prentendía que ésta fuera rentable y se mantuviera en manos de la empresa privada. Consentir que el frágil y costoso tinglado de la industria petrolera se tambaleara antes de que tuvieran los medios de dar el gran salto hacia el futuro nuclear, significaría, sin ninguna duda, caer en el vacío.

Ante semejante eventualidad, la directiva consideraría que la estabilidad de un país, la supervivencia de una forma de Gobierno, ni la vida de un mandatario, merecían tenerse en cuenta.

Cuando la esposa de Rómulo Ramos se alejó de nuevo, se volvió, decidido, a Arnaldo Calderón.

—De acuerdo —dijo—. Organícelo como crea conveniente —hizo una pausa—. Cuenta con crédito ilimitado...

A bordo de un «Concorde» de la «Air-France», que reducía a la mitad el tiempo de vuelo entre París y Caracas, Anne-Marie de Villard meditaba en torno a la imposibilidad de hacerse una idea clara de las distancias en unos tiempos en los que se viajaba a casi dos mil kilómetros por hora.

Había salido de Francia a las seis de la tarde, y, contando la diferencia de hora, a las siete estaría en Venezuela, tras haber realizado una escala de sesenta minutos en Azores.

Sin esa escala, habría aterrizado exactamente a la misma hora en que salió. ¿Cómo adaptar su mente y su cuerpo al hecho incuestionable de que había atravesado el Atlántico?

Esa tarde Gérard y ella habían hecho el amor después de comer, antes de que Christian viniera a buscarlos para acompañarlos al aeropuerto. Esa misma noche quizás hiciera el amor con León Plaza en otro continente.

Pero, ¿haría el amor con él?

Ésa era una pregunta que la atormentaba y que había discutido largamente con Gérard cuando llegaron a la conclusión de que no existía más salida que aceptar las condiciones de Pierre Galán y regresar a Venezuela.

Se sentía desconcertada respecto a sí misma y sus más íntimos sentimientos. Su convicción de que debía olvidar a León Plaza y adaptarse a la vida familiar, lejos de toda aventura exótica, continuaba firme, pero el hecho de que el mismo León hubiera llamado y, sobre todo, el convencimiento de que dentro de dos horas le encontraría de nuevo, la hacían experimentar la extraña sensación de que su vida se encontraba regida por una gigantesca balanza, que se inclinaba a uno u otro lado, a medida que se aproximaba o alejaba, físicamente, de uno u otro país.

En casa, en París, junto a Gérard y sus hijos, la figura de León Plaza había acabado por difuminarse, y convertirse en una especie de sueño que nunca hubiera vivido. La presencia real de los seres tanto tiempo queridos, la empujaba hacia ellos, haciéndole olvidar locuras, «impropias de edad y de su condición de madre y esposa».

Pero ahora, allí, a bordo de un «Concorde» que acababa de abandonar las Azores en la última etapa de su vuelo, la figura de León Plaza se iba agigantando en su interior, mientras Gérard y los chicos parecían empequeñecerse en la misma proporción.

Y se odiaba por ello.

Se despreciaba a sí misma por lo que juzgaba falta de personalidad y convicciones, y porque comenzaba a abrigar la sospecha de que se arrojaría en brazos de León Plaza en cuanto se encontrara frente a él, sin mantener la promesa de fidelidad que hiciera a su marido.

—«Ahora sé lo que quiero —le aseguró—. Vosotros sois lo que en verdad me importa, y nunca regresaría a Venezuela por mi voluntad. Ten confianza. Hablaré sinceramente con León, y nada volverá a ocurrir.»

Cuando las costas de la Guaira y la cara norte del

Monte Ávila asomaron a lo lejos, al otro lado de la ventanilla, y el inmenso aparato, con aspecto de cigüeña, comenzó a descender en busca de las pistas de cemento de Maiquetia, Anne-Marie de Villard se preguntó cómo era posible que hubiese sido capaz de prometer semejante cosa, cuando ahora temblaba de excitación y deseo al imaginar que León Plaza la iba a abrazar, la iba a besar y la iba a poseer tan violenta y apasionadamente como siempre.

Reconoció que resultaba estúpido por su parte intentar cualquier clase de resistencia o autoengaño. Siempre se había preguntado cómo era posible amar a dos hombres al mismo tiempo, y ahora conocía la respuesta. No sólo era posible, sino que, además, se le antojaba lógico. Amaba a Gérard porque significaba el pasado, la paz y veinte años de penas o felicidades compartidas. Amaba a León porque significaba el presente, la aventura y una forma de no languidecer por el resto de la vida hasta la vejez y la muerte.

¿Quién no desearía, en lo más íntimo de su ser, compaginar dos etapas de su vida sin que ninguna de ellas interfiriera en la otra...?

En el fondo, ése constituía el anhelo de millones de seres humanos que, en el orden afectivo, se desgarraban en una lucha interna entre el amor a lo que poseían y el deseo de conseguir algo nuevo.

Cuando el ser humano buscaba riqueza, la riqueza ya acumulada no sufría por ello y cuando buscaba gloria, tampoco sufrían las glorias pasadas. Pero en amor cualquier sentimiento nuevo hería o desplazaba al anterior, porque los sentimientos pugnaban por ser únicos, por mantener la primacía, por ahogar toda posible competencia.

Y, en el fondo, ¿qué posible competencia podía existir, entre el amor tranquilo, que no había disminuido un ápice, por su esposo, o su amor físico y violento por León? ¿Qué tenían en común? ¿Cómo reaccionaría Gérard si de improviso le exigiese hacer el amor bestialmente cuatro veces diarias? ¿Se contentaría León con largas y agradables charlas, hechas casi siempre de recuerdos o pequeños viajes a lugares y pueblos en los que transcurrió su juventud, y que sazonaban una vida de hermosas y dulces evocaciones...?

¿Por qué —se preguntó— a los treinta y nueve años, la vida no puede ser más que una cosa o la otra? ¿Por qué el paso de los años tiene que matar necesariamente las ilusiones, o las nuevas ilusiones tienen que atentar contra todo lo bueno que tuvieron los años pasados?

Recordaba una frase de Gérard la primera noche en la mansión de los Auclair-Langeais.

—¿Desde cuándo puede un marido viejo ganarle la batalla a un amante nuevo...?

Pero, ¿por qué tenía que ser necesariamente una batalla o una guerra...?

¿Qué hubiera hecho ella si de improviso descubriera que Gérard tenía una amante joven, bella y fogosa? Se esforzó por analizar sus emociones, no de ahora, en que existía León y todo lo veía bajo un prisma diferente, sino de entonces, de cuando vivía convencida de que su matrimonio era algo firme e indisoluble, duradero hasta la muerte. ¿Cómo hubiera reaccionado la anterior Anne-Marie de Villard...? ¿Se hubiera sentido ofendida, humillada, despreciada, o furiosa...? ¿Hubiera luchado por defender «lo que era suyo», o hubiera permitido que Gérard se sintiera feliz con otra mujer...?

Comprendió que estaba dándole vueltas tontamente a un problema tan viejo como el mundo, y para el que, hasta ahora, nadie había encontrado una solución aplicable a todos los casos. El matrimonio como institución duradera se hallaba en crisis, y eso era algo que incluso la Iglesia católica admitía, pero, hasta el presente, no parecía existir un sistema que lo sustituyese con ventaja.

La única solución en su caso estribaba en aquel ir y venir de Europa a América, de su esposo a su amante, buscando la forma de no hacer daño a ninguno de los dos. Dividirse, desdoblarse más bien, porque en el fondo de su ser, Anne-Marie de Villard se consideraba dos personas distintas.

Por el altavoz rogaron que se abrocharan los cinturones y se dispusieran para el aterrizaje. Oteó sobre su hombro hacia donde, tres filas más atrás, Pierre Galán dormitaba en su butaca junto al pasillo. La inquietaba aquel hombre. La asustaba por su seguridad en sí mismo, sus amenazas y su voz casi inaudible, impropia de un individuo de su condición y su aspecto físico. Lo había descubierto a bordo cuando llevaban ya largo rato volando, y allí estaba, dormido, aunque casi podría asegurarse que su sueño era mentira —inadvertido para quien no supiera, como ella, que se trataba de un hombre sumamente peligroso.

Abrió los ojos y le devolvió la mirada, fríamente, como si no la conociera, como si no hubiese emprendido aquel viaje para vigilarla y comprobar que se arrojaba —voluntariamente o no— en brazos del general León Plaza.

Y lo hizo voluntariamente. Se besaron allí al pie de la escalerilla a la que él tenía acceso gracias a su rango, casi bajo el mismísimo pico de cigüeña metálica del gigantesco aparato. Luego él le entregó un enorme ramo de flores y la llevó, casi a volandas, al auto que aguardaba.

¿Qué otra cosa podía hacer, si desde el momento en

que lo vio notó que una especie de calor insoportable le quemaba dentro? El trayecto se le antojó infini-
tamente largo, y era ya como fuego lo que sentía en
las entrañas cuando llegaron al «Macuto-Sheraton» en
la misma playa del litoral, a no más de quince minutos
del aeropuerto.

Cerraron la puerta en cuanto salió el mozo que
había subido las maletas y se arrojaron sobre la gran
cama sin tiempo a desnudarse, sin tiempo más que de
satisfacer a toda prisa una pasión que anulaba cualquier reflexión.

Dos horas después, satisfechos y agotados, contemplando por el abierto balcón el mar oscuro y la clara
noche del Caribe, hablaron por primera vez de cuanto
les preocupaba y que nada había significado, no obstante, hasta que estuvieron el uno completamente lleno
del otro.

—Venía decidida a decirte que esto no volvería
a ocurrir —señaló ella—. Venía convencida de que de-
bíamos mantener una relación puramente amistosa...
—Hizo una pausa, que aprovechó para acariciar, amo-
rosa y agradecida, el sexo de él, ahora en reposo—. En
estos días he descubierto que aún amo a Gérard...

Aguardó la inevitable pregunta: «¿Más que a
mí...?», pero esa pregunta no llegó. Por el contrario,
él pareció aceptarlo con naturalidad.

—Entiendo... —dijo—. Pero no creo que eso tenga
nada que ver con lo nuestro... Siempre me pareció un
hombre extraordinario, y lo que me has contado de él
lo confirma... No se puede dejar de querer, de pronto,
a una persona —Hizo una pausa y la besó suavemente
en la ingle—. Y yo no voy a pedírtelo... —añadió.

—¿Entonces...?

—¿Entonces...? —repitió él sin comprender.

—¿Qué vamos a hacer...? ¿Quieres que me quede

contigo o que regrese? ¿Cuánto tiempo va a durar esto...?

—No lo sé... —León Plaza se expresaba con absoluta naturalidad, y no cabía duda de que deseaba mostrarse sincero—. No sé nada ni quiero saberlo... —sentenció—. Te llamé, porque la muerte de Arístides, su mujer y su hija, me destrozó. Te necesitaba y acepté que no desearas volver, pero me siento muy feliz de que hayas cambiado de opinión y estés aquí conmigo. —La besó de nuevo—. Parece absurdo —comentó casi para sí—. Pero hasta los problemas más graves dejan de tener importancia cuando un hombre y una mujer tienen tanta necesidad como tú y yo de acostarse el uno con el otro... Hace una hora, por mí se podía hundir Venezuela o partirse en dos la Tierra.

—¿Y ahora...? —inquirió ella con intención.

—Ahora las aguas comienzan a volver a su cauce... —Se pasó la mano por la cara con un ademán instintivo—. No cabe duda de que, en el fondo, continuamos siendo esencialmente primitivos... —Se puso de pie y buscó por toda la habitación uno de sus amados «Negro Primero», lo encendió y tosió un par de veces—. No me importa el pasado, que ames a tu marido, o que mañana, o dentro de un año vuelvas a marcharte para siempre... Tan sólo me importa verte aquí desnuda sobre la cama, y saber que dentro de media hora podré, si quiero, hacerte el amor nuevamente...

—Es absurdo... —admitió ella—. Aunque como mujer, es lo más bello que me han dicho en la vida... —Sonrió divertida—. Como mujer de cama, se entiende...

Advirtió que no la ofendía considerarse, en aquel momento, «mujer de cama». Por el contrario, halagaba su vanidad saber que, a su edad, un hombre olvidaba todo por el hecho de poseerla. Por unos instantes, muy fugazmente, comprendió, sin proponérselo, lo que sentía una «profesional del amor» cuando los hombres perdían la cabeza por ella.

Siempre se había sentido orgullosa por el hecho de que Gérard la amara por su inteligencia, su dulzura y su sensibilidad, pero en aquel momento, lo más bestialmente femenino que había en ella se enorgullecía por que León la amara, sobre todo, como hembra.

Él tomó asiento a su lado, la observó largamente, extendió la mano y le acarició el rostro con suavidad.

—Creí volverme loco la otra noche... —comentó—. A la impresión de los crímenes, se añadió el saber que estabas con Gérard...

—Olvida eso —rogó—. Ahora nos encontramos aquí, los dos solos y eso es lo que importa... —Cambió de conversación, a propósito—. ¿Estás seguro que no fue un accidente?

León Plaza tardó en responder. Cada vez que pensaba en ello, una ira sorda y un odio que no conociera nunca antes le roían las entrañas. Abrigaba la sospecha de que se pretendía echar tierra al asunto, y eso era algo que no se sentía con fuerzas para admitir. Los culpables, si los había, tendrían que pagar por aquel horrendo crimen, y había empeñado en ello su palabra.

A veces sentía miedo. No miedo por sí mismo, sino por el hecho aterrador de que pudieran resultar ciertas las sospechas de que la orden había llegado de «arriba».

Como militar y como amigo, el general León Plaza no podía aceptar que los políticos se tomaran la libertad de «juzgar y ajusticiar» al general Arístides Ungría sin concederle la oportunidad de defenderse. Como demócrata, no se sentía con agallas como para promover por aquel motivo una rebelión militar contra un Gobierno legalmente elegido.

Se aferraba a su convencimiento de que el Presidente no tenía parte en semejante acto, pero le preocupaba la camarilla de politiquillos indeseables y aprovechados que, inevitablemente, poblaban los despachos de los Ministerios.

Nadie garantizaba que algún oscuro funcionario de algún tenebroso departamento de seguridad no se hubiera arrogado el papel de preservador del orden instituido, decidiendo cortar de raíz lo que juzgara un brote de aventurismo militar. León Plaza no ignoraba que, por desgracia, seguía vigente gran parte del aparato represivo montado durante la dictadura perezjimenista, y muchos de los asesinos profesionales de aquel nefasto régimen seguían infiltrados en diversos escalones en los organismos de seguridad nacional.

—No lo sé... —dijo al fin, respondiendo tardíamente a la pregunta—. Pero si obtengo pruebas de que fue un crimen, te juro que se van a arrepentir de haberlo cometido... Sean quienes sean...

—¿Eso te haría cambiar de opinión sobre el plan que te propuse...?

Meditó en ello. Por último, seguro de sí mismo, replicó:

—No. En absoluto... Lo que me propusiste, tendría que hacerlo por convencimiento. Por estar persuadido de que sería lo mejor para mi patria. No por odio o venganza.

—Pero es lo mejor para tu patria, y lo sabes... Ya ves lo que está ocurriendo... Las grandes compañías empiezan a traicionaros. La «Exxon» ha comenzado a refinar petróleo árabe en Aruba, a un tiro de piedra de vuestras costas...

—Lo sé —admitió—. Cinco millones de barriles...

—Aruba siempre refinó petróleo venezolano —insistió ella—. En realidad, esa refinería debería estar en

Venezuela, y no en una isla holandesa... Si no actuáis rápidamente, perderéis mucho.

—¿Es eso lo que has venido a decirme...? —inquirió León Plaza molesto, comenzando a pasear por la habitación como un oso enjaulado—. No has vuelto por mí, sino para continuar con ese maldito «plan» que habéis inventado... ¡No necesito que me digas lo que le conviene a mi país...! —protestó—. No soy un estúpido, y me consta que las compañías, la OPEP o los norteamericanos, nos darán la patada en cuanto crean que no somos de utilidad... Pero yo no puedo hacer nada... ¡Ni siquiera el Presidente, si es que llegara a convencerle! Venezuela es un país decente, que cumplirá sus compromisos internacionales, aun cuando tenga la seguridad de que los demás no van a imitarle...

—Pero si tú, como nuevo Gobierno, subes al poder, no tienes obligación de cumplir esos compromisos...

—No, desde luego —aceptó—. Pero antes que nada, tengo que mantener el juramento de fidelidad que hice... ¿Cómo gobernar sobre diez millones de personas, sin sentir respeto de mí mismo...?

Anne-Marie no deseaba en absoluto decir lo que iba a decir, pero tenía que hacerlo.

—¿Significa eso que lo que pienses de ti mismo está por encima de lo que convenga a tu país...?

Cuando habló, su voz denotaba cierta frialdad.

—No, desde luego... —replicó—. Pero puedes estar segura de que el noventa por ciento de los militares que se han alzado alguna vez en armas, se esforzaron por imaginar que lo hacían por amor a su patria, y contra sus auténticos sentimientos. Juan Vicente Gómez, Trujillo, Franco, Somoza..., todos buscaron una disculpa para tiranizar de un modo u otro a sus pueblos... Pero yo no voy a ser uno entre ellos. No lo seré, pase lo que pase.

Hassán Ibn-Aziz experimentaba una instintiva repulsión hacia Zacarías Correa, rechazo y antipatía que, como suele ocurrir en tales ocasiones, era recíproco, pues el gigantesco, grasiento y maloliente «gusano», experimentaba igualmente una innata aversión hacia el atildado, escurridizo y astuto libio.

Constituían dos tipos de seres absolutamente opuestos y llamados a no permanecer juntos más allá de cinco minutos, pero que —y eso los mantenía unidos— se necesitaban el uno al otro y lo sabían.

Hassán Ibn-Aziz pagaba cantidades que Zacarías no cobraba desde sus olvidados tiempos de coronel del Ejército de Fulgencio Batista, y el libio estaba convencido de que no encontraría en toda Venezuela alguien que pudiera serle tan útil como aquel ex instructor de las tropas anticastristas; uno de los pocos «gusanos» que habían escapado al fracasado desembarco en la «Bahía de Cochinos».

Entrenado en los Estados Unidos por la CIA cuando ésta se impuso la obligación de derrocar el régimen de Fidel Castro, Zacarías Correa no necesitó mucho tiempo para convertirse en el más experto de sus saboteadores. Pero el desembarco en Cochinos había concluido en el más espectacular fracaso, motivado por la indecisión de Kennedy. Zacarías escapó por milagro de ser capturado y acabar frente a un paredón y, renegando para siempre de los yanquis y la CIA, recaló en Venezuela, donde continuaba hostigando, cada vez más de tarde en tarde, al régimen castrista.

Si un avión de la «Cubana de Aviación» o un consulado de la isla caribeña sufría un atentado en alguna parte del mundo, podía asegurarse, casi sin temor a error, que Zacarías Correa se encontraba implicado de algún modo en el asunto.

Sin embargo, hasta el presente, el «gusano» anticastrista había procurado no participar en «acciones» dentro de las fronteras del país que le había dado cobijo, pero, desde el acuerdo ruso-hispano-cubano-venezolano de meses atrás, cambiaron sus puntos de vista.

En virtud de ese acuerdo, Venezuela proporcionaría al régimen castrista veinte mil barriles de petróleo diarios, mientras que, en contrapartida, Rusia se los entregaría a España, con lo que se obtenía una considerable disminución en los gastos de transporte. Hasta ese momento, Rusia era la encargada de abastecer a Cuba, y Venezuela, a España. El trato, simple y lógico, sin implicaciones políticas de ningún orden, constituía, sin embargo, en la opinión de un anticastrista tan acérrimo como Zacarías Correa, una «traición» por parte de los venezolanos, y había decidido «castigarlos», rompiendo su norma de neutralidad dentro del territorio nacional.

Por tanto, había aceptado, sin ningún cargo de conciencia, la fantástica propuesta del libio y, pese a la instintiva repulsión que experimentaba ante su sola presencia y su detestable forma de hablar, se sentía verdaderamente satisfecho de los resultados de sus primeras colaboraciones.

Había pasado la semana anterior en Maracaibo, con la excusa de estudiar las posibilidades de montar en aquella ciudad una sucursal de su restaurante, y aprovechando el tiempo para visitar, «como simple curioso», el lago de cuyo subsuelo se extraía casi el ochenta por ciento del petróleo venezolano.

Cerca de tres mil pozos funcionaban en el Lago, cuyo fondo se encontraba recorrido por una intrincada red de más de doce mil kilómetros de tuberías, por las que circulaban casi doscientos millones de litros de petróleo.

Si, según la idea que Hassán Ibn-Aziz había obtenido como resultado de la trágica muerte de Arístides Ungría y su familia, esas tuberías y esos pozos eran saboteados simultáneamente en varios de sus puntos dejando escapar al lago petróleo incendiado, Maracaibo podría convertirse en una sucursal del infierno, hasta que se consumiese el crudo que ocultaba su subsuelo.

—No es mi deseo intentarlo —había señalado el libio muy seriamente—, pero convendría estar preparados por si a Venezuela se le ocurriese la estúpida idea de abandonar la OPEP.

Zacarías Correa había analizado la propuesta. Con buen material y algunos de los hombres que entrenó en Guatemala, se sentía capaz de dinamitar un centenar de esos pozos, y con cien ardiendo, los demás estallarían uno tras otro.

Un detallado estudio del sistema de válvulas de seguridad; desde dónde se controlaban, y cuánta vigilancia existía en el Lago, le obligaban a sentirse optimista —aun contra su costumbre— sobre el resultado que se lograría con una acción conjunta.

—Mandé a un buceador a explorar... —indicó—. Me confirmó que la visibilidad en el fondo es prácticamente nula. Aparte los lógicos derrames de petróleo, se vuelcan en el lago diariamente unos doscientos millones de litros de aguas negras, y doce mil litros de sangre proveniente de un matadero. De hecho, el lago está muriendo. Es una maraña de cables, tuberías, latas y desperdicios. Todas las gabarras de perforación han tirado sus basuras al agua desde que se comenzaron las prospecciones... —Hizo una pausa—. Lo ideal sería ir distribuyendo estratégicamente una serie de cargas explosivas activables por control remoto. Las disimularíamos en el interior de latas viejas, pedazos de tubería, troncos podridos y todas esas cosas que se encuentra en el fondo y que no despertarían sospechas si, en un momento determinado, aflorasen a la superficie por alguna razón. Teniendo el lago así minado, bastaría apretar un botón y... —al llegar aquí, hizo un expresivo gesto con la boca— los países de la OPEP no tendrían que preocuparse de la posibilidad de una «traición» por parte de Venezuela...

—¿Cuánto tardaría en poner en marcha el plan...? —quiso saber Hassán.

—Sin correr riesgos, un año... —admitió el «gusano»—. Es lo que necesito para conseguir permisos de residencia para mi gente, importar explosivos, poner en funcionamiento los sistemas de control remoto, etc... —Sonrió con ironía—. No podemos permitirnos un error y volar una torre antes de tiempo.

Al libio, un año se le antojaba una eternidad. Ansiaba saberse poderoso y disponer del «destino de Venezuela» a base de apretar un botón, pero comprendió la necesidad de actuar con precaución. No se fiaba de Zacarías Correa ni estaba dispuesto a proporcionarle medios para que, al final, fuera el cubano quien se quedara con la fórmula para volar Maracaibo.

Se esforzó por conseguir que no sospechase lo que le inquietaba.

—¿Cuándo podrá tener listo un plan completo y un presupuesto? —inquirió con fingida naturalidad.

Zacarías meditó unos instantes:

—¿Le parece bien una semana...?

Ya en la calle, se despidieron con un frío apretón de manos, y Zacarías regresó al local antes de que Hassán Ibn-Aziz pusiera en marcha el «Porsche» que había comprado a Rómulo Ramos. Quizá, de no penetrar en el edificio tan aprisa huyendo del calor, el cubano, desconfiado por sus muchos años de clandestinidad y peligro, hubiera reparado en que un «Fiat» gris, que permanecía aparcado en la esquina, se ponía en marcha en pos del auto del libio. Uno tras otro, enfilaron la entrada de la Autopista, uniéndose a la caravana de «carros» que se dirigían en esos momentos, a lo largo de El Valle, hacia el Hipódromo de La Rinconada.

Los caballos, las mujeres y el gusto por la intriga, constituían los tres grandes vicios de Hassán Ibn-Aziz, que, como buen creyente, huía, sin embargo, del alcohol y apenas probaba el tabaco, aunque era, eso sí, un apasionado adicto a la marihuana. Del hipódromo y las carreras, lo único que le molestaba era que tenía que codearse inevitablemente con la colonia judía, tan abundante en Caracas, y que compartía con él, pese a sus diferencias políticas y religiosas, su afición al juego.

Esa tarde, en la cuarta carrera corría *Galápago*, uno de sus caballos, y el libio abrigaba la esperanza de que, pese a su nombre, el animal se mostrara digno de la confianza que había depositado en él. Su preparador, un jamaicano de origen árabe, aseguraba que en las patas del *Galápago* se ocultaba una fortuna y era tan sólo cuestión de tiempo que empezara a rendir sus frutos.

Aparcó en uno de los puestos reservados a los propietarios y se encaminó directamente a las cuadras, donde el hermoso animal estaba siendo cepillado por su mozo antes de salir al *padock*. Ni por un momento reparó en la presencia del hombre que se había apeado del «Fiat» gris y que le seguía, mezclándose con el público y los curiosos.

Y es que hubiese resultado imposible reparar en nadie entre la multitud que solía llenar los domingos el Hipódromo La Rinconada, uno de los más espectaculares del mundo, construido por la dictadura perezjimenista para desviar la atención de los venezolanos de los problemas políticos.

No sólo lo había logrado, sino que consiguieron que la afición a las carreras de caballos quedara ya, para siempre, como la más insustituible de las pasiones de millones de aficionados, que se jugaban auténticas fortunas a través de las apuestas del «5 y 6» o en las taquillas.

Hassán disfrutaba en aquel ambiente de agitación y hermosas mujeres que pululaban por las gradas, y con la indescriptible sensación de superioridad que le producía ser socio del «Jockey Club» y sentarse en el bar con aire acondicionado, lejos de la muchedumbre, a disfrutar de una posición privilegiada. Eso, y el apostar tres mil bolívares a un caballo con la misma indiferencia con que daba una propina a un camarero, constituían sus formas de saberse diferente.

Algún día, *Galápago* ganaría un gran Premio; tal vez el mismísimo «Clásico Simón Bolívar», y él subiría al podio, a fotografiarse junto al animal, llevando del brazo a la más hermosa Miss Venezuela de ese año.

Dieron la salida a la cuarta carrera, y *Galápago* se mantuvo en cabeza durante los mil primeros metros. Entusiasmado, gritó, saltó y animó desesperadamente a su caballo, hasta que quedó claro que perdía terreno, y sobre la línea de meta daba paso al pelotón, entrando descolgado y cruzando la raya en quinta posición. Le decepcionó de momento, pero se consoló al comprobar que el joven animal daba pruebas de su innegable clase. Como señalara su entrenador, era cuestión de tiempo y experiencia. Se sintió eufórico y exuberante. En un rincón, prendió un cigarro de marihuana y contempló, satisfecho, la pista y los caballos que se preparaban para la quinta carrera de la tarde. La vida se le antojó hermosa, y mucho más lo sería cuando pudiera ofrecer a sus superiores el plan completo de su fastuosa idea sobre el Lago Maracaibo.

Trató de imaginarse lo que serían trece mil kilómetros cuadrados ardiendo de punta a punta durante años. La columna de humo podría dar la vuelta al mundo y ocultar el sol medio país. En el subsuelo de Maracaibo existían por lo menos mil quinientos millones de toneladas de petróleo. Subiendo a la superficie por cien pozos reventados, y extendiéndose sobre el agua, convertirían el lago en la más gigantesca antorcha que conociera la Humanidad.

Hassán sabía bien lo difícil que resultaba apagar un pozo incendiado en tierra firme. Exigía mucho valor y mucha técnica. Allí, en Maracaibo, nadie conseguiría sofocarlos, porque al poco tiempo, las casi tres mil torres se habrían derretido bajo el calor, convirtiéndose en otras tantas bocas con que alimentar la hoguera. Sonrió para sus adentros; si Venezuela se «desmandaba», los venezolanos se acordarían de Hassán Ibn-Aziz para el resto de su vida.

Trató de imaginar qué cara pondrían sus jefes cuando les contase su «proyecto». Hasta el momento era un secreto. No se fiaba de nadie; ni aun de su propio Embajador, que ignoraba, o prefería ignorar, las verdaderas actividades de un «secretario» que le había sido impuesto en contra de su opinión personal. Hassán Ibn-Aziz actuaba por cuenta propia, sin rendir informes, rellenar papeles ni sujetarse a disciplinas, con una forma de actividad más propia de un terrorista que de un miembro del cuerpo diplomático. Salvo por la inmunidad que éste le proporcionaba y por el abuso que hacía de la «valija» y las prerrogativas de su rango, el libio no se sentía en absoluto ligado al cuerpo al que, oficialmente, pertenecía.

Una dulce sensación de bienestar y un suave mareo que le impulsaba a estallar de improviso en carcajadas, le fue invadiendo a medida que la droga surtía su efecto. Se había acostumbrado a ella allí, en Caracas, en la cama de la aspirante a Miss con la que había estado saliendo hasta la semana anterior, y que no parecía dispuesta a experimentar orgasmo alguno si antes no se había «cargado» bien de hierba de la mejor calidad.

De improviso, sin saber por qué, pensó en Noemí Atienza y en que le atraía y repugnaba al propio tiempo. Por cuanto había logrado averiguar sobre sus costumbres sexuales, le intrigaba, pero su carácter, frío y calculador, y el hecho de que vendiera a su país, le obligaban a despreciarla.

Algún día se acostaría con ella, estaba seguro. Durante las últimas semanas habían mantenido una especie de juego de provocaciones, en el que Noemí parecía sentirse muy satisfecha de excitarle. Sin lograr que se desnudara; sin haberla tocado siquiera, Hassán Ibn-Aziz la conocía tan perfectamente como a su última amante. El hecho de que continuase afirmando que era virgen, contribuía a aumentar su interés. Debía admitir que nunca antes había poseído a una virgen, y experimentaba una morbosa curiosidad por averiguar qué placer se experimentaría al ser el primero en penetrar en un lugar tan recóndito y misterioso. Le gustaría observar la expresión de Noemí, tan distante y despectiva, cuando tuviera que gritar de dolor, sorpresa y placer, al sentir que, al fin, la desfloraban.

«Algún día», se prometió a sí mismo, y comprobó que era hora de reunirse con ella en el apartamento de Los Palos Grandes.

Aguardó hasta que hubo acabado la sexta carrera, rompió, decepcionado una vez más, los boletos de apuestas, y abandonó el Hipódromo antes de que lo hiciera la gran masa de público, sin percatarse de que ahora era un «Pontiac» rojo el que le seguía a través de las Autopistas del Valle y del Este, para salir por La Castellana a Los Palos Grandes. Aparcó a cierta distancia, penetró, como siempre, por el discreto garaje lateral del edificio, y subió hasta el diminuto apartamento en el que ya había luz.

Noemí Atienza le aguardaba tumbada en la cama, hojeando una «revista del corazón». Vestía un traje camisero azul, abotonado, que se le abría lo suficiente como para demostrar que no llevaba —como siempre— nada debajo. Su posición en la cama, con la falda a medio muslo, se le antojó provocativa y casi burlona. Su expresión, sin embargo, aparecía más seria que de costumbre.

Tomó asiento a su lado y le rozó la pierna con la mano, pero ella no se apartó.

—¿Por qué has tardado tanto...? —fue todo lo que dijo, a modo de saludo.

—Hoy corría mi caballo... —Extendió la mano y, muy despacio, le desabrochó el primer botón del escote, sin que ella hiciera gesto alguno por impedirlo. Ni siquiera se movió—. Otras veces me haces esperar tú.

Noemí no replicó, encendió un cigarrillo de los que descansaban sobre la mesilla de noche, y permitió, con absoluta indiferencia, que sus pequeños y duros pechos quedaran al aire cuando Hassán continuó desabrochando botones.

—¿Alguna novedad...? —inquirió el libio, aunque resultaba claro que su interés estaba más centrado en desnudarla que en escuchar lo que pudiera decirle.

—Alguna... —señaló—. Cuando te la cuente, se te quitarán las ganas de jugar...

Hassán Ibn-Aziz sonrió divertido:

—En ese caso, no lo hagas hasta que termine...

Ella se encogió de hombros y siguió fumando en silencio, observando cómo él concluía de desabrochar el vestido, lo apartaba y la dejaba desnuda, sin más prendas que las botas, y nada más que la oscura mata de su sexo y los rosados pezones destacando sobre su piel, muy blanca y muy suave.

El libio la admiró unos instantes, como sorprendido por la perfección de aquel cuerpo. Más que atractivo, resultaba morboso, como lo era en el fondo toda ella, fría y cálida al mismo tiempo, distante y casi repelente a veces, pero con un extraño poder sexual en sus gestos, en sus miradas y, sobre todo, ahora, en su desnudez.

Le acarició la curva del vientre, el pecho y los muslos, y se maravilló del efecto que ejercía sobre él aquella piel tersa, suave y tibia. La carne aparecía tan dura como el mármol, y le molestó advertir que ella no reaccionaba bajo sus caricias.

Se inclinó y la besó en el pecho. Luego con la punta de la lengua trazó una línea, muy despacio, hacia el estómago, los muslos y, al fin, hasta el pubis, sin que Noemí moviese un músculo, ni se alterase en lo más mínimo. Se limitó a observarle, dejarle hacer sin oponer resistencia, y fumar, recostada en la cama, indiferente y lejana.

Hassán Ibn-Aziz descubrió que se excitaba más y

más, se buscó en la lengua un vello muy rizado y muy negro, y alzó los ojos. Ella semejaba una estatua mirándole a su vez, y comentó con aparente naturalidad:

—Creo que me vigilan...

El libio dio un salto y se puso en pie. Su expresión cambió, y se podía asegurar que su excitación desapareció instantáneamente.

—¿Qué has dicho?

—He dicho que creo que me vigilan...

—¿Cómo lo sabes...?

Noemí se encogió de hombros. Aplastó el cigarrillo en el cenicero y comenzó a abotonarse el vestido, como dando por terminado aquel asunto.

—Esas cosas se presienten. Una mirada, un cuchicheo; alguien que de pronto elude tu conversación... En esta semana no ha pasado por mis manos un solo documento que valga la pena, ni nadie ha hablado de nada delante de mí... Es como un vacío...

Hassán Ibn-Aziz se dejó caer en la butaca, frente a la cama. Durante unos instantes, se limitó a morderse nerviosamente el dedo pulgar. De improviso, se sentía asustado. Si verdaderamente aquella estúpida estaba siendo vigilada, acabarían por relacionarlos, y eso era lo último que deseaba cuando aún no se habían apagado los ecos de la muerte de Arístides Ungría y su familia. De repente, todos sus planes sobre el Lago Maracaibo, la más importante tarea de su vida, peligraban por culpa de una imbécil que, probablemente, se había comportado de un modo imprudente.

—¿Qué piensas hacer...?

—Marcharme a Europa... —Noemí había acabado de abrocharse el vestido, y se aproximó a la ventana. Contempló la calle y, sin volverse, añadió—: Dame trescientos mil bolívares y desaparezco...

—¡Trescientos mil bolívares...! —se asombró el libio—. ¿Por qué?

Se volvió y lo miró de frente.

—Porque voy a perder mi empleo por tu culpa... —señaló—. Pensaba trabajar dos años más, pero la muerte de Aníbal Navarro, y ahora, la de los Ungría, echa a perder las cosas... Hizo una pausa y se recostó en la ventana—. Creo que eso bien vale trescientos mil bolívares, y que yo desaparezca... —Sonrió con intención—. ¡Si llegan a descubrirme...!

—¿Me estás amenazando...? —exclamó el libio, inmediatamente enfurecido.

Ella conservó su frialdad de siempre. Se diría que nada en este mundo era capaz de alterarla. Negó suavemente.

—No, en absoluto —señaló—. Sólo quiero que comprendas la situación. Si me descubren, pronto o tarde acabaré por contar lo que sé. No tengo madera de heroína, ni de mártir... Y si lo cuento, podrán acusarme de traición o deslealtad, pero a ti te acusarían de cinco asesinatos...: Navarro, la puta y la familia Ungría... Pasarías el resto de tu vida en el Penal de El Dorado... —Hizo una pausa significativa—. Si es que te dejan vivo... Lo mejor para ambos —continuó— es que abandone Venezuela para siempre... Puedo tomar mis vacaciones, irme a Europa y no volver... —Buscó un nuevo cigarrillo, lo encendió y lanzó al techo una nube de humo—. No me parece justo que sea yo la que lo pierda todo... Al fin y al cabo, ¿qué significan trescientos mil bolívares para la OPEP?

—Yo no trabajo para la OPEP.

—Bien, de acuerdo... No trabajas para la OPEP... Pero, sea quien sea quien te mande, preferirá pagar a tener sobre su cabeza la preocupación de que me descubran... ¿No te parece...?

Se dejó caer sobre la cama, con estudiada suavidad, se recostó en la almohada, permitió que la falda subiera hasta dejar a la vista cuanto normalmente ocultaba y observó, sonriente, la reacción de Hassán.

Éste advirtió que una ira incontrolable y que conocía bien se iba adueñando de él. Tras su máscara de indiferencia y suavidad, el libio era en realidad un hombre violento y primitivo. De pronto comprendió hasta qué punto odiaba a Noemí Atienza, aunque no quiso aceptar que la odiaba porque sexualmente había jugado con él como jamás lo había hecho ninguna otra mujer. Se justificó a sí mismo convenciéndose de que la odiaba por su doblez e hipocresía.

Se esforzó en lograr que su voz sonara tranquila:

—¿Y qué harás si no te doy ese dinero...? —quiso saber—. ¿Irás a contárselo a la Policía...? —sonrió, escéptico—. Dudo que estés dispuesta a pasar cuatro o cinco años en la cárcel... ¿Sabes lo que harían allí con una virgen?

—Lo imagino —admitió. Ahora Noemí Atienza endureció el tono—. Lo mismo que suelen hacer con los hombres: violarlos... ¿Te divertiría que te violaran...? —Hizo una pausa y se decidió a descubrir su juego con franqueza—. Escucha —dijo—. Voy a desaparecer. No estoy dispuesta a correr riesgos. ¡Así que decídete! Si me das ese dinero, jamás volverás a saber de mí.

—¿Y si no...?

Ella tardó en responder. Por un instante, tuvo conciencia del peligro que corría con aquel juego, pero rechazó la idea. Dos pisos más abajo vivía su tía y el edificio se encontraba rebosante de gente a aquellas horas. El libio no parecía llevar armas, y si intentaba cualquier violencia gritaría. Al fin y al cabo, trescientos mil bolívares no significaban una fortuna, y estaba decidida a obtenerlos. Comprendió que nunca encontraría mejor ocasión de presionarle y lo hizo:

—Me iré de todos modos —dijo al fin, contestando a su pregunta—. Me iré, pero tú nunca dormirás tranquilo, te lo aseguro.

El día había resultado agitado y excitante para Hassán. El almuerzo con Zacarías Correa, la carrera de *Galápago*, el cigarrillo de marihuana y la exaltación sexual de minutos antes le habían descentrado. Noemí Atienza continuaba provocándole con sus palabras y con su actitud, complaciéndose en recalcar que le permitiría verla, pero que estaba lejos de su alcance y seguía siendo la que dominaba la situación.

La suavidad, la tersura, la firmeza y el sabor de aquella piel acabaron de desequilibrar al libio, que, súbitamente, sin comprender él mismo lo que hacía, dio un salto adelante y la golpeó con todas sus fuerzas, tumbándola de espaldas sin un lamento.

Cuando se puso en pie, recuperado el control, se estiró nerviosamente la chaqueta y contempló con rabia a la muchacha, despatarrada e inerte sobre la cama.

—¡Te voy a enseñar a amenazarme! —masculló—. Te voy a enseñar quién es Hassán Ibn-Aziz... —continuó excitadamente, aun consciente de que ella no podía oírle—. ¿Crees que me eligieron para este trabajo por mi linda cara...? ¿Crees que iba a permitir tenerte siempre encima extorsionándome...? ¡No, bonita...! Tú no ibas a contentarte con trescientos mil bolívares... Ese era el principio. ¡Te habías hecho a la idea de chuparme hasta el tuétano...! ¡Bicho...! ¡Puta!

Buscó a su alrededor hasta reparar en los cordones de las persianas, los arrancó de un tirón, los cortó en cuatro con ayuda de un cuchillo que encontró en la diminuta cocina, y se dedicó a amarrarla concienzudamente a las patas de la cama.

Cuando hubo concluido, corrió las cortinas, advirtió que Noemí comenzaba a dar señales de reanimarse y la amordazó con un paño de cocina.

Se sentó a su lado, la cacheteó para hacer que despertara más aprisa, y le colocó la almohada doblada bajo la nuca de modo que pudiera verse bien, amarrada en cruz, con las piernas muy abiertas y las cuerdas clavándosele en las muñecas y los tobillos.

Al volver en sí, Noemí tardó en hacerse cargo de la situación, forcejeó unos instantes y acabó por rendirse ante la evidencia de que cuanto más se agitaba, más daño se hacía.

El libio sonrió divertido:

—¿Qué te parece...? —inquirió—. De amenazadora has pasado a amenazada... ¡Lo que es la vida...!

Muy despacio, recomenzó la tarea de desabrocharle los botones del vestido, uno por uno, sin prisas, regodeándose más aún que en la ocasión anterior.

—Creo... —señaló con humor— que no tendré ocasión mejor de comprobar esa historia de tu virginidad... —Noemí intentó un salto y él se rió—. ¡Calma...! Hay un refrán que dice: «Lo que tienen que comerse los gusanos, que se lo coman los cristianos...» Yo no soy cristiano, pero, al fin y al cabo, ése es un detalle sin importancia...

Terminó de desabrocharla, apartó a los lados el vestido y la observó, satisfecho.

—Sería una pena desaprovecharte... —admitió—, ¡una verdadera pena...!

Comenzó a besarla, muy suavemente, empezando por el cuello, para bajar al pecho y morder luego furiosamente los pezones hasta hacerle sangrar e irse excitando al llegar al sexo, que también mordió con rabia, indiferente a los ahogados gritos de su víctima y los esfuerzos que hacía por soltarse.

Al fin se colocó de rodillas frente a ella, entre sus

piernas, y, desabrochándose los pantalones, mostró su miembro viril.

—¡Míralo bien...! —exclamó—. ¡Míralo, que con esto te voy a partir en dos...!

Brutalmente la penetró, esforzándose por hacerle el mayor daño posible, y sin duda lo logró, pues Noemí gritó y se revolcó desesperada. Era, en verdad, virgen, y cuando, extenuado, Hassán salió de ella, las sábanas se mancharon de sangre.

Con los ojos desorbitados de terror, Noemí, observó cómo la sangre escurría por sus piernas y el libio se ponía lentamente en pie y desaparecía en el cuarto de baño vecino. Oyó el ruido del agua al correr, y permaneció con la mirada fija en la puerta, aterrorizada, hasta que regresó a la estancia y se detuvo a los pies de la cama.

—Bien... —dijo—. Eras virgen, jugabas con todos, y alguien se cansó de ese juego y te dio lo que merecías... Conociendo tus antecedentes, no creo que la Policía se moleste demasiado en investigar. —Noemí dejó escapar un sollozo, y gruesas lágrimas corrieron por sus mejillas, al comprobar lo que iba a ocurrir. El otro hizo una pausa y sonrió con fría crueldad—. Nadie me ha visto entrar nunca en este edificio... Nadie me relaciona contigo... —Agitó la cabeza negativamente—. Pequeña, antes de amenazar a alguien, hay que saber con quién se está jugando...

Se aproximó a ella, que intentó un postrer y desesperado esfuerzo por librarse y escapar de la mano que se dirigía a su cuello, pero la aferró con firmeza y comenzó a apretar con absoluta indiferencia.

—En el fondo... —fue lo último que Noemí Atienza pudo escuchar—, siempre me pareciste una hija de la gran puta, engreída y antipática...

Siguió estrangulándola, hasta cerciorarse de que había muerto; entonces la soltó, permitiendo que la cabeza cayera hacia atrás, inerte, y luego, con absoluta naturalidad, sacó un pañuelo y se aplicó a la tarea de borrar concienzudamente las huellas dactilares del apartamento.

Diez minutos después, pareció sentirse satisfecho, lanzó una última ojeada al cadáver de Noemí, abrió la puerta, comprobó que no había nadie en el pasillo y salió.

Abandonó como siempre el edificio por el garaje, pero tomó más precauciones que de costumbre. Oteó a un lado y otro, advirtió que en toda la calle no se distinguía más que un «Pontiac» rojo aparcado en solitario y, al parecer, vacío, aguardó a que una pareja de enamorados se perdiera en la próxima esquina, y luego, caminando rápidamente y con la cabeza gacha, se encaminó a su auto y se alejó del lugar a toda velocidad.

Cinco minutos después introducía el «Porsche» en el garaje de un edificio de la Urbanización Los Chorros, y subía hasta su apartamento del octavo piso, desde cuya terraza se dominaba el Valle de Caracas.

Observó las luces de la ciudad y el movimiento de miles de automóviles por las autopistas. Casi tres millones de personas... ¿Quién sería capaz de relacionarle con Noemí Atienza entre aquella multitud...?

Casi a la misma hora en que el caballo de Hassán Ibn-Aziz corría en La Rinconada, León Plaza izaba a bordo su tercera captura del día, un hermoso pez-vela de más de dos metros, lo que le dejó derrengado por el esfuerzo, pero feliz y satisfecho de su proeza.

Pidió un buen trago de ron y se dejó caer en la tumbona de popa, viendo cómo los generales Sucre y Cabello tomaban el relevo en las cañas, decididos a no dejarse vencer en la contienda.

Había sido una jornada de «hombres solos» a base de «caña de pescar y caña de beber», palabrotas, chistes procaces y «mentadas de madre», cuando un tiburón o un gran «marling» cortaba la línea y escapaba a las profundidades.

Las mujeres se habían quedado disfrutando de la piscina y la playa del «Macuto Sheraton», mientras los cuatro hombres, cuatro de los generales con mando de más prestigio del país, se lanzaban al Caribe a probar fortuna y a «divertirse a su modo».

El último miembro del grupo, el general de la Fuerza Aérea, Omar Díaz, propietario del yate y de una cuantiosa fortuna personal, oteó el horizonte, comprobó que no había peligro, conectó el piloto automático y bajó a reunirse con sus compañeros de arma y de pesca. Se sirvió un largo whisky seco, se acomodó de espaldas en la barandilla y lanzó una larga mirada al mar azul y limpio que se extendía a su alrededor.

—Parece mentira que, en este mismo mar, el pobre Arístides pudiera tener una muerte tan trágica —comentó—. ¡Increíble!

León Plaza advirtió cómo, casi de inmediato, Sucre y Cabello hacían girar sus asientos perdiendo interés en las cañas. Tuvo la impresión de que habían llegado a la auténtica razón de aquella insistente invitación a salir al mar los cuatro solos, dejando en tierra a mujeres y marineros. Desde que Omar le llamó al hotel, señalándole que, sin aceptar excusas, el domingo le esperaba a las siete en el muelle de Carballeda, y les acompañarían Pepe Sucre y Abelardo Cabello, comprendió que el trío andaba buscando reunirse con él lejos de oídos indiscretos.

—Sí... —admitió—. Resulta increíble...

El «gordo» Abelardo era, de los tres, el más íntimamente relacionado con León Plaza, tanto por el Arma en que servía como por el hecho de haber estado muchas veces a sus órdenes directas. Era, después de Arístides Ungría, el oficial que mejor le conocía, y tal vez por ello el que se decidió a abordar el asunto más directamente.

—¿Qué piensas hacer respecto a eso...? —inquirió.

Los observó. Le constaba que de su decisión dependería en gran parte la actitud que las Fuerzas Armadas tomaran en torno a un hecho que repudiaban: el asesinato de uno de sus miembros más queridos y respetados. Su responsabilidad era grande y lo sabía.

—Aún no existen elementos para juzgar... —señaló—. No estimo sensato adoptar una actitud de la que tengamos que arrepentirnos...

—La Policía no hace nada... —se lamentó Sucre.

—Nuestra gente está investigando... —replicó con un tono de voz que no admitía discusión—. Cuando den su informe, será hora de actuar. Nunca antes.

No pareció que la respuesta les satisficiera, pero tuvo la impresión de que la aceptaban por mero sentido de la disciplina, ya que seguía siendo el superior en rango. Le agradó advertir que, pese al tiempo que llevaba inactivo, su ascendiente sobre ellos continuaba intacto. Como si le hubiera leído el pensamiento, Abelardo rogó:

—Es hora de que te reincorpores, León... Sigues siendo el líder, pero si te mantienes lejos de los acontecimientos que se avecinan, los jóvenes te lo echarán en cara y acabarán por perderte el respeto... —Hizo una pausa, que aprovechó para tensar la liña haciendo girar repetidas veces el carrete de su caña—. No te conocen como nosotros...

Admitió que tenía razón. Nuevas promociones de oficiales salían de las academias y, para ellos, León Plaza comenzaba a ser más un mito que un jefe al que pudieran ver, tocar o acudir en demanda de ayuda y consejo. Su prestigio lo había ganado, en gran parte por su contacto con los oficiales y su capacidad de conocerlos a todos y comprender y respetar los problemas de cada uno de ellos. Ahora, los problemas eran otros, y eran otros los oficiales.

—¿Cuáles son esos acontecimientos que se avecinan...? —quiso saber.

—Algo se fragua... —admitió Omar—. Aún no sabemos exactamente qué es, de dónde viene ni qué fines persigue, pero corre el dinero y se susurran consignas... Alguien ha tratado de averiguar qué actitud tomarían mis pilotos si los tanques salieran un día a la calle.

—¿Qué tanques?... —La pregunta de León Plaza iba dirigida personalmente a Pepe Sucre, que se apresuró a llevarse las manos al pecho como si estuviera pidiendo que le registraran.

—¡No los míos! —replicó convencido. Pepe Sucre era un hombre de pequeña estatura, nervioso y siempre inquieto, y la simple demanda logró revolucionar de pronto todas sus células, hasta el punto de que el olvidado «tic» de su ojo izquierdo pareció reactivarse de improviso—. ¡Mis tanques no salen a la calle, pase lo que pase...! ¡Lo juro...!

—¡Está bien...! No te alborotes... —pidió. León Plaza conocía bien al General, llanero como él, y le constaba que podía creer en su palabra—. No te alborotes y dime qué otros tanques pueden salir a la calle y significar un riesgo...

—Los de Paco Almeida, y los de Arnaldo Calderón... —La respuesta, rápida, vino por parte de Abelardo, que parecía tenerla muy estudiada, e hizo hincapié en el segundo de los nombres.

A León Plaza no le pasó inadvertido el detalle. De hecho, sabía que aquel nombre tendría que salir pronto o tarde en la conversación. El viejo «Halcón Andino» había sido, desde siempre, uno de sus más encarnizados rivales dentro de las Fuerzas Armadas. Dos presidentes le habían pedido que intentase separarlo del Ejército, pero nunca encontró una razón legal que lo justificara, y no era hombre que actuara arbitrariamente. Su sentido de la justicia y de la aplicación del reglamento estaban por encima de cualquier tipo de convencimiento personal.

—Arnaldo Calderón... —repitió molesto—. ¿Hasta cuándo tendremos que soportar a ese viejo buitre...?

—El año que viene pierde derecho a mando —indicó Sucre—. Pero hasta entonces, manda el grupo acorazado más potente después del mío... —Se le notó un cierto orgullo en resaltarlo—. Su gente es peligrosa... —añadió—. Se ha ido rodeando de oficiales a su medida.

—¿Quién lo ha permitido...? —La pregunta de León Plaza sonó dura, francamente recriminatoria, y pareció molestar a sus compañeros, ya que Abelardo respondió en el acto:

—¡Nadie tenía que permitirlo...! Si acaso, tú tenías que impedirlo, ya que eres el único que puede hacerlo, pero andabas escondido en tu rancho, persiguiendo vacas...

León Plaza comprendió que había sido injusto y aceptó, sin rechistar, la recriminación del enorme y pacífico gordinflón al que le unía desde casi la juventud una sincera amistad.

—Perdona... —rogó—. Pero aunque yo estuviera en mi rancho, imaginé que alguien tendría la sensatez de comprender que Arnaldo Calderón es el único general venezolano al que no se le pueden poner en las manos tanques y hombres que manejar a su antojo... ¡Significa un peligro...!

—¡Por eso estamos aquí, y no para pescar pecesvela...! —sentenció Omar Díaz—. Me consta que mis pilotos no se echarían nunca al aire para apoyar sus tanques, pero no puedo responder por todas las bases aéreas de Venezuela... En este país hay demasiado dinero... Miles de millones de bolívares, y son muchos los que opinan que ha llegado el momento de ponerle las manos encima a ese petróleo y esos bolívares... No sé por cuánto se puede vender un piloto; imagino que cada uno tendrá su precio, pero en este asunto hay dinero suficiente como para pagar a todos el doble de lo que pidan... Dos millones de barriles de petróleo diarios a doce dólares el barril... ¡Calcula...!

León Plaza tuvo que admitir, aun contra su voluntad, que Omar Díaz tenía razón. Cien millones de bolívares diarios daban para comprar muchas conciencias, muchos pilotos e incluso muchos aviones. En su memoria perduraban las maniobras de las compañías petroleras que llevaron al poder al entonces coronel Marcos Pérez-Jiménez, y León Plaza no era de los que creían que los años hubiesen afectado de modo sustancial la forma de actuar de tales compañías. Si lo hicieron cuando costaba poco más de un dólar el barril, ¿por qué no iban a repetirlo ahora, que costaba doce...? Y si entonces encontraron quienes les hicieran el juego ¿por qué dudar de que volverían a encontrarlo...? La Historia —y eso se encargaba de demostrarlo la Historia misma— tenía con frecuencia el mal gusto de repetirse, y los cuatro hombres que se hallaban a bordo de aquel yate habían sufrido en su día las amargas consecuencias de las maniobras de las compañías.

De pronto, tuvo una idea que se le antojó válida.

—Supongamos que se trata de Arnaldo Calderón... —dijo—. ¿Quién lo respalda...?

Los tres hombres se miraron. Por un momento les pareció captar la oculta intención de la pregunta del que consideraban, por naturaleza, su jefe.

—Supongo que alguna de las compañías... —replicó al fin Pepe Sucre—. Si el dinero corre como dicen, tienen que ser ellas...

—¡De acuerdo...! —aceptó—. Entonces intentemos comprobar si el asunto viene, en efecto, de Arnaldo Calderón, y tratemos de averiguar...

Se interrumpió. Una de las cañas se había inclinado peligrosamente y la liña corría como enloquecida. Prestaron atención. Un enorme pez-vela, el mayor que había picado en el día, saltó a lo lejos, a popa, y Abelardo Cabello se abalanzó sobre la caña y, afianzándose en el asiento, se dispuso a cobrarlo. Casi al instante cambió, sin embargo, de opinión, tomó el cuchillo y, de un golpe seco, cortó el hilo.

—¡A la mierda...! —exclamó—. ¿Quién piensa ahora

en pescar? —Se volvió a sus compañeros y alzó el dedo—. Pero que conste que era el mayor de todos y que picó con mi anzuelo...

—¡Tururú...! —le trompeteó Plaza—. Lo dejaste escapar porque comprendiste que era demasiado grande... —Se echaron a reír y continuó—. Como decía, trataremos de averiguar cuál de las compañías lo está financiando... —Hizo una pausa y sonrió significativamente—. Como militares, no tenemos derecho a actuar contra un oficial, sin pruebas de que está delinquiendo, pero, como simples ciudadanos, nadie puede impedirnos que le ajustemos las cuentas a cualquier extranjero que pretenda entrometerse en nuestros asuntos.

Los tres hombres se miraron de nuevo. Parecieron sopesar la propuesta, que llegó incluso a hacer sonreír a Omar Díaz. Agitó la cabeza con ademán divertido, mientras el «tic» del ojo del general Sucre parecía alborotarse más que nunca.

—¡Eres grande, León...! —sentenció—. ¡Eres grande...! Sin nadie que le financie, Arnaldo Calderón no es más que un pobre borrachito que se babea por las tetas de un putón panameño...

Omar trepó por la escalerilla, quitó el piloto automático e hizo girar el timón cambiando el rumbo.

—¡Volvamos a casa...! —exclamó—. Esta misma noche tenemos que empezar a cazar a ese viejo halcón andino...

Pero no era ésa la cacería que les aguardaba aquella noche. No, al menos, la que aguardaba a León Plaza, pues apenas había puesto el pie en el hotel, y cuando aún se encontraba en la ducha, sonó el teléfono.

—¡Es para ti...! —le gritó Anne-Marie—. El capitán Darío Fonseca...

Salió del baño empapado, escurriendo agua hasta la

alfombra, y tomó el aparato.

—¿Qué hay, Darío...? —inquirió.

—Buenas noticias, mi general... —respondieron al otro extremo del hilo—. Sería conveniente que subiera a Caracas. Creo que podemos atrapar al «turco»...

Hassán Ibn-Aziz tomó una ducha, guardó en una bolsa de plástico los pantalones, la camisa y los calzoncillos sucios de sangre, se vistió, se afeitó, comprobó en el espejo que su aspecto era normal y, tatareando una cancioncilla, abandonó su lujoso apartamento.

En el ascensor coincidió con la esposa del agregado cultural, una linda muchacha a la que tenía puesto el ojo, pero no se encontraba con humor para iniciar un coqueteo. Puso en marcha el «Porsche», abrió el garaje y se dirigió a un restaurante árabe de la Avenida Río de Janeiro, a orillas del Guaire.

Charló largo rato con el propietario, cenó con apetito y buscó en el periódico una buena película con la que poder distraerse el resto de la noche. No deseaba regresar temprano a casa. Aunque no experimentaba ninguna clase de remordimientos, era la primera vez en su vida que mataba a alguien personalmente, y de tanto en tanto le venía a la mente la imagen de Noemí, atada y amordazada, con los ojos saltándosele de las órbitas a medida que le apretaba más y más el cuello.

Se sorprendió a sí mismo restregándose una contra otra las manos, como tratando de alejar de ellas la impresión de que aún tocaba aquella piel suave y provocativa.

Ya en el cine, a solas, hundido en su butaca en una

sala semivacía, se aisló de cuanto ocurría en la pantalla, sumergiéndose en sus pensamientos, en un intento de analizar qué había experimentado en el instante de violar a Noemí o quitarle la vida.

En ciertos momentos, todo se le antojaba nebuloso y lejano, mientras que, en otros, la realidad del contacto físico resultaba tan palpable que descubrió, sorprendido, que experimentaba una erección al recordar el instante en que mordió hasta hacerle sangrar el pubis de la muchacha, o al evocar la resistencia natural y desconocida que encontró al desflorarla.

Más tarde, notó que se encontraba empapado en sudor. Quiso atribuirlo al calor y a la excitación que le provocaban los recuerdos, y se repitió que no tenía por qué sentir miedo. Había hecho bien las cosas y había sabido reaccionar con rapidez conjurando el peligro que significaba el hecho de que pudieran implicarlo en las muertes de Arístides Ungría o Aníbal Navarro.

Luego pensó en Zacarías, pero le tranquilizó el saber que ni siquiera el propio Zacarías podía relacionarlo con Noemí. Quizá, más adelante, convendría desembarazarse también de él, pero, por el momento, le resultaba necesario.

La película terminó, las luces se encendieron, y el público comenzó a abandonar la sala, pero Hassán Ibn-Aziz continuó sentado, sin darse cuenta de lo que ocurría. Cuando reaccionó, salió a la calle y se encaminó a pie al cercano «Centro Comercial Chacaito». Bajó al «Le Club», tomó un refresco en la barra, cambió dos o tres frases intrascendentes con algunos conocidos y, cerca ya de las dos de la mañana, buscó su auto y regresó, sin prisas, a su apartamento.

Tuvo que hacer un esfuerzo para no desviarse de su camino y pasar por la Tercera Avenida de Los Palos

Grandes, a observar la luz que aún debía brillar, semioculta por las cortinas de una de las ventanas. Metió el «Porsche» en el garaje junto al del agregado cultural y, ya en el ascensor, se sintió a disgusto ante la idea de encerrarse en el apartamento sabiendo que no podría dormir. Tal vez hubiese sido buena idea buscarse una prostituta con la que pasar el resto de aquella primera noche, que presentía mala y larga, pero se encogió de hombros, reconfortado por la idea de que un par de somníferos tal vez hicieran el mismo efecto.

Entró, encendió todas las luces como si eso le ayudara a alejar fantasmas, puso un disco en el aparato estereofónico, buscó un cigarrillo de marihuana, lo prendió con delectación y se encaminó al dormitorio.

Dio un salto, rebotó contra la puerta y estuvo a punto de derrumbarse.

En su cama, atada a las cuatro patas, sobre la misma sábana sucia de sangre y de su propio esperma, se encontraba el cadáver de Noemí Atienza, exactamente en la misma posición en que lo dejó en el apartamento de Los Palos Grandes.

Durante unos minutos, que se le antojaron siglos, Hassán Ibn-Aziz se sintió incapaz de reaccionar, imaginando que vivía una pesadilla. Sus ojos, dilatados por el terror, recorrieron muy despacio la alcoba, buscando una presencia humana, pero pronto se convenció de que se encontraba a solas con el cuerpo de la muchacha.

Las piernas le temblaban y las rodillas parecían negarse a sostenerlo. Se apoyó en la pared y avanzó hacia la cama. Muy despacio alargó la mano y no le cupo duda. Era ella: la misma ropa, las mismas cuerdas, y el mismo paño de cocina amordazándola. Era Noemí Atienza, helada ya y con los primeros síntomas del *rigor mortis*; con los ojos abiertos y desorbitados y un hilillo de sangre coagulada marcando un oscuro sendero desde el pubis a la sábana, a lo largo de sus rotundos muslos, que parecían haber perdido la brillante tersura de su piel.

La habitación comenzó a dar vueltas en torno a Hassán Ibn-Aziz, que, inconteniblemente, vomitó a los pies de la cama. Se dejó caer sobre la alfombra y permaneció largo rato arrodillado, sujeto a los barrotes de hierro, buscando tranquilizarse. Durante ese tiempo, ni un solo pensamiento, ninguna explicación al misterio, cruzó por su mente. Todo lo que podía asimilar era que, incomprensiblemente, estaba allí la mujer que asesinara a tres kilómetros de distancia.

Al fin se puso de pie. Tanteó entre los libros de la estantería y extrajo una pistola. Se cercioró de que estaba cargada, la montó y, vacilante aún, regresó al salón. Buscó hasta en el último rincón; en la cocina, el cuarto de baño y las otras habitaciones, pero llegó a la conclusión de que no había nadie en el apartamento. Abrió la puerta y se asomó al rellano. El ascensor no se había movido de donde lo había dejado. Encendió la luz y se asomó al hueco de la escalera. No distinguió a nadie. Ni arriba ni abajo. Eran casi las tres de la madrugada y el edificio dormía. No se escuchaba más rumor que el de un auto que cruzaba, lejos, por la calle.

Entró nuevamente, regresó al dormitorio y contempló largo rato el cadáver que le miraba acusador. Se preguntó quién lo había transportado hasta allí, y llegó a la conclusión de que no podía ser más que Zacarías. Probablemente trataría de extorsionarle. La Policía no se dedicaba a cambiar cadáveres de lugar. Por alguna razón, los hombres de Zacarías debían estar vigilándole, descubrieron el crimen y decidieron hacer la comedia para tener un arma con que chantajearle.

Luego rechazó la idea. Zacarías podía ganar muchísimo dinero con el plan sobre Maracaibo, y resultaba absurdo echarlo a perder complicando en un asesinato a quien tenía que pagarle.

De improviso, la luz se hizo en su cerebro. Zacarías quería llevar a cabo solo el plan de Maracaibo, y ésta era la forma de quitarle de en medio.

Aunque, bien pensado, para quitarle de en medio, más sencillo hubiese sido pegarle un tiro en cualquier esquina.

En verdad, no lograba encontrar un camino entre la maraña de confusos pensamientos que se agolpaban en su mente. Toda su sangre fría, toda su capacidad de discernimiento, habían desaparecido ante el hecho, incuestionable, de que allí, amarrada a su propia cama, se encontraba una mujer a la que él mismo había asesinado en otro lugar.

¿Cómo llamar a la Policía y denunciar el hecho absurdo de que un desconocido la había traído hasta su piso...? Les bastaría analizar el semen, interrogarle, y comenzar a atar cabos para llegar a la conclusión de que era el único criminal. Se sentía acorralado, y advirtió que de nuevo se encontraba empapado en sudor. Fue hasta la puerta, echó el cerrojo, se metió en el baño y se duchó.

El agua fría le despejó y le hizo comprender que no debía continuar perdiendo tiempo. Pronto amanecería, y lo primero que tenía que hacer era llevarse lejos el cadáver. Más tarde se preocuparía de averiguar quién se lo había devuelto.

Se asomó de nuevo al rellano de la escalera. Continuaba desierto y silencioso como la primera vez, pero no se convenció y bajó dos pisos. Ni un alma.

Otra vez en el apartamento, se apoderó de una manta, la colocó junto a la cama, cortó las cuerdas que ataban el cadáver de Noemí y lo dejó caer al suelo. Por último, hizo un fardo y lo arrastró hasta la salida.

Con la pistola firmemente empuñada, dispuesto a no dejarse sorprender, se asomó fuera. El ascensor continuaba allí. Lo abrió y, rápidamente, procurando no hacer ruido, arrastró dentro el cadáver. Se cercioró de que llevaba las llaves del coche, cerró con dos vueltas la puerta del apartamento, se metió en el ascensor y apretó el botón del garaje. Había decidido que si alguien aparecía en ese instante, lo mataría allí mismo, pasara lo que pasara.

Pero la casa continuaba en silencio. El ascensor pasó frente a la puerta del séptimo piso, luego del sexto, quinto, cuarto, tercero... y, de improviso, cuando se encontraba a mitad de camino entre el tercero y el segundo, se detuvo.

Aunque se precipitó desesperado sobre los botones y los apretó una y otra vez, Hassán Ibn-Aziz comprendió la realidad de la trampa en cuanto el aparato se detuvo frente a la pared. Acababan de meterlo en una jaula de acero y cemento en compañía del cadáver de una muchacha violada y estrangulada por él mismo, sin posibilidad de apelación alguna. Ni su inmunidad diplomática, ni todas las influencias o sobornos de este mundo lograrían salvarle.

Imaginó la cara de su embajador, feliz, en el fondo, de librarse del que siempre consideró «un indeseable», e imaginó, por último, la cara de sus «superiores», incapaces de admitir que uno de sus mejores agentes preferidos se hubiera dejado atrapar con las manos en la masa y sin disculpa factible.

Pensó luego en el «plan Maracaibo», en las notas que escondía en su apartamento y que la Policía acabaría por encontrar cuando se dedicaran a investigar a fondo su vida. La muerte de Navarro, el asesinato de los Ungría y cuanto había significado su actividad subversiva durante su estancia en Venezuela, se le aparecieron con una claridad meridiana, y se aterrorizó ante sus consecuencias. No existiría misericordia para quien había mandado asesinar a un general y a un diputado de una nación considerada «amiga». Le interrogarían hasta sacarle cuanto sabía, y el libio sentía terror a la tortura. Acabaría por hablar, y aunque en Venezuela no existiera la pena de muerte, sería un hombre condenado, pues hasta en el último rincón del último presidio llegaría la mano de los suyos para castigarle.

Pasaron, muy lentos, los minutos. Ni un rumor llegaba al interior de la caja metálica. Se sentó en el suelo y observó, como hipnotizado, el desnudo pie de Noemí Atienza que sobresalía de la manta. El bulto informe apoyado contra la esquina del diminuto ascensor, le obsesionaba. Apenas unas horas antes, aquello era una mujer llena de vida y, en cierto modo, atractiva y misteriosa, por la que sentía repulsión y deseo. Ahora era un pedazo de carne helado, acusador y omnipresente, que destruía, después de muerta, sus fabulosos planes futuros.

Ya nadie incendiaría el lago Maracaibo. Ya nadie podría detener a Venezuela si intentaba apartarse de la OPEP.

Prestó atención. Le pareció escuchar rumor de pasos y cuchicheos sobre su cabeza en el tercer piso, pero pronto se convenció de que no había sido más que una ilusión auditiva. Nada se movía en la casa. Subió la mano y tocó de nuevo los botones del cuadro de mandos, pero el ascensor continuó absolutamente inmóvil, muerto. Ni siquiera el timbre de alarma reaccionó, pues no oyó que sonara en parte alguna, como ocurría cuando, en otras ocasiones, el aparato se detenía circunstancialmente.

Empuñó la pistola y calculó qué posibilidades tendría de abrirse paso a tiros, correr a su auto y huir. Zacarías lograría sacarle del país. Zacarías lo haría, porque él era el único que podía acusarlo de ser el brazo ejecutor de los asesinatos. Constituía aquélla una esperanza entre mil, pero, la única que le quedaba: plantar cara a quien quiera que viniese, pronto o tarde, a sacarlo de allí y tratar de salvar su vida.

Pero nadie acudía. Consultó el reloj y comprobó que llevaba más de media hora encerrado a solas con la muerta, su sudor y su miedo, y experimentó un irrefrenable deseo de gritar.

Golpeó la cabeza contra el muro, en una especie de necesidad de convencerse de que aquello no era un sueño.

—¿Por qué esta trampa? —se repetía una y otra vez—. ¿Quién me la ha tendido, y por qué...?

Era eso, quizá, lo que más le desesperaba. No comprendía la razón del acto, ni adivinaba quiénes serían los autores... ¿Un novio, un amante, un pariente de Noemí, quizás...? ¿Alguien que sabía que ella se encontraba en el apartamento de Los Palos Grandes y aguardaba el resultado de la petición de los trescientos mil bolívares para escapar juntos al extranjero...?

No se le había ocurrido semejante hipótesis.

Noemí debía de tener un cómplice; el cómplice se extrañó de su tardanza, subió a buscarla, la encontró muerta y decidió llevarle el cadáver e inculparle manteniéndose en la sombra.

—Pero, ¿por qué se complace en mantenerme aquí dentro, cociéndome en mi propio miedo y mi desesperación...? ¿Acaso la amaba y es ésta su venganza antes de asestarme el golpe final...?

Interrumpió sus pensamientos el aullar de una sirena lejana, que se aproximó hasta detenerse bajo él, a la entrada del edificio.

Ahora sí percibió, nítidamente, voces, pasos y llamadas. A los pocos instantes, dos nuevas sirenas se unieron al llanto de la anterior y martillaron con un objeto metálico la puerta del ascensor.

Aumentaron la voces. Mucha gente se agolpaba en los pisos más próximos y alguien subía hasta la caja de control del ascensor.

Contempló una vez más el pie desnudo de Noemí Atienza. Comprendió que había perdido toda esperanza de abrirse paso a tiros. Al menos tres coches de Policía aguardaban fuera, y si salía disparando, lo cazarían como a un conejo. Sintió pánico y deseos de llorar. Advirtió que una humedad caliente corría por sus piernas, y al bajar la vista descubrió que se había orinado en los pantalones. Sintió una profunda lástima de sí mismo y maldijo al mundo y al destino que le había jugado tan mala pasada, truncando, de improviso, todas sus ambiciones y sus sueños de grandeza.

El ascensor comenzó a moverse. Centímetro a centímetro descendió, y cuando hizo su aparición la parte alta de la puerta del segundo piso, las voces y las llamadas de advertencia le llegaron más claras. Se secó las lágrimas y los mocos con el dorso de la mano que empuñaba la pistola. Toda su entereza había desaparecido y no era más que un animal acosado, incapaz de reaccionar. Acurrucado en un rincón, frente al cadáver de Noemí Atienza, Hassán Ibn-Aziz observó, agarrotado, cómo la puerta iba situándose poco a poco frente a él, hasta quedar absolutamente encuadrada con las paredes metálicas del ascensor. Se escuchó una orden, y se detuvo. Fuera, percibió muy claro, el «clic» metálico de armas al ser amartilladas.

Amartilló a su vez su pistola y luego, muy despacio, apoyó en ella la barbilla y apretó el gatillo.

Los sesos de Hassán Ibn-Aziz volaron contra el techo y las paredes del ascensor, y fueron a caer, mansamente, sobre el desnudo pie del cadáver de Noemí Atienza.

La media hora larga que Hassán Ibn-Aziz permaneció encerrado en el ascensor, la emplearon León Plaza, el capitán Darío Fonseca y dos de sus hombres, en registrar a conciencia el apartamento del libio.

Encontraron, escondidos acá y allá, infinidad de documentos y anotaciones que les parecieron interesantes, pese a que la mayor parte se encontraban en árabe y, probablemente, en clave.

—Nuestro departamento de claves los descifrará —señaló Darío Fonseca, convencido—. Será cuestión de tiempo.

Minutos antes de que la Policía llegase, abandonaron el edificio, llevándose con ellos cuanto les pareció de utilidad.

Amanecía cuando León Plaza regresó al hotel y Anne-Marie se despertó sobresaltada al oírle entrar. Por unos segundos se diría que no lograba reconocerle, o que no tenía la menor idea de dónde se encontraba. Quizás, en sus sueños, continuaba aún en su dormitorio, allá en su casa, en París.

Se frotó los ojos, heridos por la luz, y agitó la cabeza tratando de despejarse.

—¿Qué ocurre...? —inquirió alarmada.

Él se inclinó y la besó en la frente, tratando de tranquilizarla.

—Nada... Duerme... —pidió.

Pero Anne-Marie descubrió algo en su expresión que la obligó a desvelarse casi en el acto. Se puso en pie y se echó la bata sobre los hombros.

—Tienes un aspecto horrible... —comentó—. ¿Qué ha ocurrido?

Se diría que León Plaza prefería insistir en su negativa, pero venció la necesidad que tenía de echar fuera cuanto le atormentaba.

Militar curtido que presenciara escenas de violencia y muerte en las fronteras, y en el alzamiento de Puerto-Cabello, había tenido que esforzarse, sin embargo, por no demostrar ante sus subordinados la profunda impresión que le causaba el cadáver de Noemí Atienza.

Trasladarlo de un extremo a otro de la ciudad y atarlo nuevamente a una cama se le antojó una profanación, y tuvo que esforzarse para aceptar el maquiavélico plan de Fonseca. Comprendió que era la única forma de quitar de en medio para siempre al libio, pero no podía negar que la macabra noche le había afectado en lo más profundo de su ser.

Fue por ello quizás, en busca de consuelo, por lo que decidió confesar a Anne-Marie todo lo ocurrido, y ella no pudo por menos de sorprenderse por su vulnerabilidad.

Intentó tranquilizarlo, y descubrió que sus palabras no se diferenciaban en mucho de las que empleara tantas veces con Gérard o los chicos cuando necesitaban ayuda.

Advirtió que su papel continuaba siendo el mismo. Como Gérard aseguraba: «Ningún hombre puede vivir siempre con el yelmo puesto y la lanza empuñada ante su propia mujer... Llega un momento en que tiene que tirarlo todo y buscar las zapatillas...»

Aquel amanecer, cuando el sol comenzaba a elevarse en el horioznte del mar Caribe, y los primeros alcatraces cruzaban frente a su balcón para lanzarse desmañadamente al agua en busca del desayuno, Anne-Marie descubrió que el general León Plaza era un hombre que, sobrepasados los cincuenta y tras una noche de tensión y malestar, necesitaba también zapatillas y palabras reconfortantes.

Sonó el teléfono. Era Fonseca, para comunicar que Hassán Ibn-Aziz había preferido suicidarse.

León Plaza le dio las gracias y colgó. No le sorprendía la reacción del libio. Tal vez, en su caso, hubiera optado por hacer lo mismo, prefiriendo la muerte a enfrentarse a la Policía, los interrogatorios y todo lo que vendría después.

Alzó el rostro hacia ella.

—Se pegó un tiro... —aclaró—. Extraño en un musulmán.

—¿Qué piensas hacer ahora...?

León Plaza no lo sabía. En realidad, no imaginaba que el libio tuviera nada que ver con la muerte de Arístides Ungría. A su modo de ver, no existía relación entre ambos, aunque su gente en Miraflores aseguraba que por las manos de Noemí Atienza había pasado, una semana antes de los crímenes, un documento secreto sobre las últimas actividades de Ungría.

—No creo que constituya suficiente motivo para que ese «turco» lo hiciera asesinar —comentó, por último—. ¿Qué podía importarle lo que Arístides estuviera preparando...?

—¿Por qué mató entonces a la chica...?

—Ésa es la pregunta que me preocupa —admitió—. Tal vez tuvo miedo de que llegáramos a él a través de ella, cuando, en realidad, era al revés... —Agitó la cabeza—. ¡Oh, Dios! —se lamentó—. No entiendo nada... Te juro que no entiendo nada.

Se le notaba agotado. Anne-Marie le obligó a tumbarse en la cama, corrió las cortinas y aguardó hasta que se hubo dormido. Luego se puso el traje de baño y bajó a la playa. Desayunó en la terraza, al borde de la piscina, y le sorprendió que Pierre Galán, al que veía a diario en el Hotel pero siempre desde lejos, se decidiera a tomar asiento frente a ella.

—¡Buenos días! —la saludó con su voz casi inaudible—. ¿Me permite...?

—¿Cómo quiere que le permita...? —se quejó—. Ya se ha sentado... ¿Qué pretende ahora...? ¿Ha vuelto a encarcelar a mi hijo...?

—No, en absoluto... —le tranquilizó—. No debe juzgarme mal. No deseo que aquello se vuelva a repetir... Está usted colaborando sinceramente...

Le miró de soslayo y se detuvo en su tarea de untar de mermelada una tostada. Hubiera dado cualquier cosa por averiguar si existía burla o doble intención en la aseveración del desagradable personaje, pero su rostro continuaba tan impenetrable como siempre. Decidió armarse de paciencia y aguardar a que dijese lo que quería.

Pierre Galán no se hizo esperar. Fue directo al grano:

—¡Cuénteme lo que sabe...! —ordenó sin derecho a réplica—. Sin olvidar detalle... ¿Por qué ha pasado la noche fuera León Plaza...? ¿Ha ocurrido algo grave?

El cerebro de Anne-Marie trabajó aprisa. Pierre Galán era un hombre sin escrúpulos y contarle cuanto sabía sobre la participación de León Plaza en la trampa tendida a Hassán Ibn-Aziz, significaría entregárselo atado de pies y manos. No estaba dispuesta a traicionarle, pero tampoco podía mentir a su interlocutor inventando que el general había pasado la noche jugando al dominó con unos amigos. Optó por darle únicamente parte de la verdad de los hechos.

—Ayer pasó el día con tres generales en el yate...
—empezó.

—¡Eso ya lo sé...! —se impacientó Galán—. ¿Qué más?

—¡Déjeme explicárselo a mi manera...! —exclamó—. ¿Cómo quiere que adivine lo que sabe o no sabe usted...? ¿No me ha pedido que se lo cuente todo...?

—¡Está bien...! Siga...

Anne-Marie agradeció la interrupción, que le permitía elaborar mejor su historia.

—Llegaron a la conclusión de que alguien está preparando otro golpe de Estado...

—¿Aquí en Venezuela...? —se asombró Galán.

—¿Dónde quiere que sea...? —Anne-Marie se dio cuenta de que iba ganando ventaja—. Alguien prepara un golpe de Estado, repito. Eso es algo difícil de ocultar por mucho tiempo, sobre todo en un momento en que la sensibilidad de las Fuerzas Armadas se encuentra exacerbada tras la muerte de Ungría... Corren rumores...

—¿Qué clase de golpe de Estado...? ¿Nos favorece o nos perjudica...?

Se encogió de hombros y comenzó a mojar su tostada en el café.

—Lo lógico es que nos perjudique... ¿O es que le han propuesto ustedes a algún otro general el «plan» de cooperación venezolano-europeo...?

—No, desde luego... —admitió Galán—. No, que yo sepa...

—En ese caso, puede imaginar que nos perjudica... Quizá los norteamericanos quieran adelantarse...

—¿Han averiguado quién piensa darlo...?

—Por eso pasó la noche fuera... —mintió con absoluta naturalidad, mientras comenzaba a devorar su tostada con fingido apetito—. Se entrevistó con varios comandantes de guarnición...

—¿Y...?

—Sospechan del general Arnaldo Calderón...

—¡Calderón...! —Pierre Galán lanzó un silbido. Había pasado gran parte de los últimos años en Venezuela, siempre al servicio del Gobierno francés, y conocía a todos los personajes de la vida política, social y militar del país. No en vano había sido elegido para manejar el «plan» desde Caracas. Era un valioso agente de los servicios secretos franceses, el famoso y peligroso «DST», y tenía la obligación de saber de antemano con quién habría de enfrentarse—. ¡Menudo hijo de puta...! —admitió—. No me extraña que se trate de él... ¿Están seguros...?

—Aún no... Quieren confirmarlo y averiguar quién lo respalda... Maneja mucho dinero...

—¡Eso no es difícil de adivinar...! —señaló, convencido—. Me jugaría el cuello a que se trata de Stone... Ese cerdo se está moviendo mucho últimamente... —Meditó largo rato e hizo una seña al camarero, indicándole que le trajera un desayuno igual al de Anne-Marie.

Se le notaba preocupado y, al mismo tiempo interesado, casi divertido por la situación, como si todo aquello fuera un apasionante juego en el que le encantara tomar parte desde las sombras. En el fondo era el auténtico carácter de Pierre Galán.

—Más vale que no le diga nada de Stone al general —añadió—. Le molestaría saber que me cuenta sus cosas y, pronto o tarde, llegará a mi misma conclusión... Caracas es una ciudad pequeña, las piezas que se mueven son, casi siempre, las mismas: las compañías, algunos políticos y ciertos militares... —Hizo una pausa mientras el camarero servía su pedido, y comenzó a untar, a su vez, mantequilla y mermelada—. Creo que esto puede significar una amenaza para nuestros planes... —Sonrió con cierto humor—. Lo queramos o no, dos golpes de Estado son demasiados incluso para un país sudamericano...

Anne-Marie de Villard estuvo a punto de aconsejarle que fuera perdiendo toda esperanza respecto al levantamiento que debería encabezar León Plaza, pero no lo hizo. No veía la necesidad de alertar a un hombre que seguía antojándosele extremadamente peligroso. Ella, con estar allí y seguir junto a León, cumplía su misión.

Hacía días que Anne-Marie había llegado a la conclusión de que no tenía papel protagonístico alguno en aquella aventura. León jamás se alzaría en armas, y aunque su ascendiente sobre él seguía siendo grande y podía aconsejarle e incluso influir en algunas de sus decisiones, resultaba patente que nadie absolutamente nadie, lo apartaría de lo que consideraba su deber.

Para ella había sido, y lo aceptaba, una extraña y apasionante experiencia. Se había adentrado en un mundo nuevo que hasta aquel momento ni siquiera había imaginado que pudiera ser real: el mundo de la alta política, la intriga y los cerebros capaces de encontrar una solución al mayor de los problemas que ahogaban a la Humanidad. Importaba poco que esa solución se llevase o no a buen fin en aquel momento. Lo esencial, a su modo de ver, era que alguien se había dado cuenta de su viabilidad y realizaba un esfuerzo por imponer la razón sobre aquella gran locura de ambiciones sin límites que estaba estrangulando a todo un concepto de la vida y la civilización.

Otros volverían tras sus pasos. Quizá, con planes más elaborados o menos fantasiosos. Quizás, incluso, con las armas en la mano, dispuesto a imponer por la fuerza lo que estaba claro que no podía imponerse por la razón; pero, se llegara a la solución por el camino que se llegase, lo que para Anne-Marie de Villard tenía valor, era el hecho de haber participado en aquél, el primer intento de llevar al mundo una vaga esperanza de equilibrio.

La desenfrenada carrera alcista y el pánico bajo aquella eterna espada de Damocles que pendía sobre las naciones y los hombres, tenía que cesar. Al espectro de las epidemias, de las guerras, o el terror atómico, había sucedido en los últimos años el espectro de la amenaza del hambre, el frío o la inactividad por el hecho de que unos cuantos cortaran el suministro de un producto sin el cual la existencia moderna no podía ya comprenderse.

Resultaba sobrecogedor que un elemento casi desconocido para el ser humano cien años antes, hubiera pasado a dominarlo todo y que un planeta que había marchado por sí mismo durante milenios, amenazase con detenerse si le privaban de aquella «mierda del diablo» que había comenzado a aflorar a la superficie en un pozo de Pensilvania en 1859.

La Humanidad se había esclavizado a sí misma, y aquella aventura del «plan europeo» no constituía, en el fondo, más que una especie de «rebelión de los gladiadores»; una intentona nacida para el fracaso. Aunque León Plaza aceptara el difícil papel de Espartaco, igualmente hubiera sido derrotado, como el legendario héroe, por las legiones de la corrupción y la violencia, eternas armas de las compañías petroleras que serían siempre las más fuertes. Cualquiera de las «siete hermanas» era más rica, ella sola, que la mayoría de las naciones independientes del mundo.

Y lo más triste, lo más trágico y lo más desesperante, era que nadie podía luchar contra tales monstruos, porque eran monstruos sin vida, sin cabeza y sin rostro.

Unos cuantos nombres importantes o determinadas familias superpoderosas se asociaban por tradición a los intereses de tal o cual compañía, pero, a la hora de la verdad, dichos nombres o dichas familias tan sólo poseían una parte minoritaria de sus acciones. Las restantes se encontraban repartidas entre cientos de manos anónimas, de gentes tal vez inocentes en su ignorancia del mal que hacían y profundamente culpables, al mismo tiempo, por su eterna avaricia en busca de mejores dividendos para sus capitales.

Advirtió que Pierre Galán la observaba y se sintió turbada. Hacía ya largo rato que había concluido su desayuno, había encendido un cigarrillo y la contemplaba sonriente. Su sonrisa contribuía a hacerle más desagradable, pues le marcaba en la comisura de los labios una cicatriz blancuzca que de otro modo apenas se distinguía.

—¿En qué pensaba...? —quiso saber.

Se encogió de hombros.

—En nada importante...

El otro era más inteligente y más observador de lo que Anne-Marie de Villard creía. El desagrado que le producía le había impedido analizarle.

—Sí que importa... —comentó—. Se siente pesimista, ¿no es cierto...?

—Algo... —aceptó—. Creo que todo es inútil... Creo que fue inútil desde un principio...

Pierre Galán negó. Negó convencido, y la firmeza de su gesto intrigó a Anne-Marie. Su voz sonó más baja, más ininteligible que nunca.

—Tenga fe... —musitó—. Ocurra lo que ocurra, el esfuerzo no habrá sido inútil... Usted y yo no somos más que peones de una gran partida... Hay más. ¡Muchos más! Aunque desaparezcamos del tablero y nos quede la amarga sensación de que nos sacrificaron para nada, la partida continuará, porque ya nadie puede detenerla... Es demasiado lo que está en juego... Hágame caso... Tenga fe...

Se levantó, hizo un ademán al camarero indicándole que apuntara las consumiciones a su cuenta, se despidió llevándose la mano a un inexistente sombrero y se alejó, hacia el interior del hotel.

Anne-Marie de Villard le observó, sorprendida e intrigada, hasta que lo perdió de vista. Luego tomó su bolso y su toalla y se encaminó a la playa.

Las olas del Caribe rompían ese día con inusitada fuerza.

A las veinticuatro horas de conocerse la noticia del suicidio de Hassán Ibn-Aziz, Zacarías Correa había malvendido su restaurante de la Urbanización El Rosal, desapareciendo de Venezuela con rumbo desconocido, sin dejar señas y prometiéndose a sí mismo no regresar jamás.

Si Zacarías Correa sobrevivió a la caída de Batista, fue porque el 31 de diciembre de 1958, mientras La Habana se disponía a despedir alegremente el año con mujeres, ron y música, él se dedicaba a meter en un maletín cuanto había conseguido de valor y tomaba el último avión hacia Miami.

Horas después, en plena recepción oficial, Fulgencio Batista anunciaba repentinamente que abandonaba el poder y la isla y desde ese momento Cuba pertenecía, de hecho, a Fidel Castro. Un sexto sentido libró a Zacarías Correa de morir fusilado el 2 de enero de 1959.

Ahora, idéntica sensación de peligro y la misma necesidad imperiosa de salir huyendo le asaltaron en el momento de abrir el diario de la tarde y enfrentarse con la fotografía del libio sentado en el piso de un ascensor y con la cabeza volada. Le conocía bien, aunque no simpatizaran, y le constaba que Hassán no era hombre que se pegara un tiro sin razones muy graves.

Y, tal como estaban las cosas, lo que era grave para

el libio, lo era también para el cubano.

León Plaza y Darío Fonseca se sintieron, por tanto, profundamente decepcionados cuando, días más tarde, se presentaron en el restaurante para encontrarse con un nuevo propietario. El comandante del servicio de Códigos y Claves, actuando en horas libres como favor especial, había hecho cuanto humanamente estaba en sus manos para desentrañar con rapidez el complicado sistema de anotaciones, en árabe, del libio. El resultado había sido tan espectacular, que incluso el mismo León Plaza se sintió impresionado cuando los documentos llegaron de nuevo a su poder.

Los estudió durante horas, alarmado por la audacia del proyecto de incendiar el lago Maracaibo, y entristecido, al comprender la futilidad de los motivos que habían llevado a la familia Ungría a una muerte espantosa.

Por un lado, le tranquilizaba comprobar que los asesinatos habían sido obra de Hassán y no tenía que seguir buscando culpables. Por otro, sentía una mezcla de rabia e impotencia, ya que el promotor de los crímenes había muerto, y su ejecutor había conseguido escapar. Experimentaba la sensación de que, con su suicidio, el libio no pagaba más que por la muerte de Noemí Atienza.

Sentado en la terraza del hotel, contemplando el Caribe y los barcos que hacían cola a la entrada del puerto de La Guaira, que se había quedado pequeño y anticuado, permaneció encerrado en sí mismo durante horas, ausente y preocupado, olvidado incluso de la presencia de Anne-Marie, que supo respetar su silencio en aquella dura batalla que estaba librando consigo mismo.

El general dudaba entre la obligación de presentar a las autoridades los documentos que habían caído en sus manos, y la lealtad que debía a cuantos le habían ayudado a conseguirlos por métodos tan poco ortodoxos como el de trasladar el cadáver de una mujer asesinada de un extremo a otro de la ciudad.

Anne-Marie comprendía ese dilema a que se enfrentaba, y que le recordaba al de Gérard cuando los problemas de la Universidad le atosigaban y vacilaba entre abandonarla definitivamente o continuar luchando contra la incomprensión y la burocracia.

Esa noche, cuando trajeron la cena, León no probó bocado ni pronunció palabra. Masticó su carne durante largo rato, como un autómata, lejos de la cena y aun del lugar en que se encontraba, inmerso en sus ideas —negras ideas sin duda— y en su persecución de soluciones, eterna cacería del moderno macho humano empeñado en escudriñar en cada rincón de su mente con idéntica dedicación que sus antepasados de las cavernas empleaban en rastrear por praderas y montañas al venado o jabalí que resolvieran sus problemas.

Al terminar, regresó a la terraza a fumar a oscuras, y Anne-Marie decidió acostarse en silencio, sabiendo —por veinte años de experiencia— que aquella noche tampoco harían el amor.

Lo contempló desde la cama, recortada su silueta contra el cielo iluminado por la luna creciente del Caribe, y tuvo que admitir que, en determinados momentos, le costaba trabajo diferenciarle del Gérard que, a veces, en verano, se sentaba también al fresco del balcón de la casa a rumiar sus preocupaciones.

Comprendió que aquélla resultaba una hora difícil para León Plaza. Dura y difícil, porque se enfrentaban en su interior, de un lado, su concepto de la lealtad, el deber, y cuanto creía que debía ser un militar de carrera y, del otro, aquella ansia de reforma a fondo de una sociedad y unas costumbres que empezaba a estar seguro de que conducían a su país hacia el abismo.

Sentado allí, en aquella terraza sobre el Caribe, León Plaza distinguía, bajo sus pies, las blancas siluetas de los innumerables yates del «Club Caraballeda», mientras que allá, en su hacienda del Llano, un chiquillo demacrado y sufrido aprendía a duras penas a manejar una muleta de palo que tendría que arrastrar a lo largo de toda una vida miserable y sin esperanzas.

Cada día que pasaba, y por contraste con aquella «súbita invasión de la riqueza» provocada por el petróleo, las diferencias sociales aumentaban. En la Venezuela tranquila y recoleta, campesina y patriarcal de cincuenta años atrás, las distancias entre un hacendado y sus peones jamás fueron tan abismales como las que existían ahora entre los multimillonarios caraqueños que viajaban tres veces al año a Europa a comprar cuadros, y los indios «cuibá» a los que daban caza hacendados de Elorza.

Se quedó dormido allí mismo, en la terraza, haciendo planes imaginarios para un país real, y le despertó, de amanecida, un golpear precipitado, casi alegre, en la puerta.

Le sorprendió encontrarse frente a los generales Sucre, Cabello y Díaz con el aire de tres jovenzuelos divertidos y felices, estrambóticamente ataviados para disfrutar de un día de pesca.

—¡El mar espera! —exclamaron—. Y tenemos la más divertida historia que hayas oído en tu vida... ¡Baja corriendo!

Diez minutos después se reunía con ellos en un rincón de los inmensos salones del hotel. Reían y daban voces comentando soezmente algo que se pasaban de mano en mano.

En cuanto le vieron llegar, le tendieron un grueso

fajo de fotos, que contempló desconcertado. Aparecía en ellas el viejo, flaco y avinagrado general Arnaldo Calderón, aplicado con todo interés a practicar la más increíble gama de posturas sexuales aberrantes que pudieran imaginarse. Le acompañaba en su tarea una jovenzuela de enormes tetas y gran trasero, que le doblaba en tamaño.

Venció su repugnancia ante el desagradable y denigrante espectáculo y devolvió las fotos a Abelardo Cabello. Su voz y su gesto fueron más duros que nunca al inquirir:

—¿Quién hizo esto...?

Le observaron con sorpresa:

—No tenemos idea... —respondió Omar Díaz encogiéndose de hombros—. Comenzaron a circular ayer a miles por los cuarteles y las guarniciones... —Hizo una tímida pausa—. Como no hemos sido ninguno de nosotros, pensamos que...

—¿Yo? —se asombró León Plaza—. ¿Me creéis capaz de hacer algo semejante ni siquiera al hijo de la gran puta de Arnaldo Calderón...? Pero, ¡bueno...!

Tomaron asiento. El trío parecía desconcertado, e incluso un tanto avergonzado. Se habían desinflado y ahora, con su aire grave y sus ropas multicolores, presentaban un curioso aspecto, que estuvo a punto de hacer reír a León Plaza.

Pepe Sucre se despojó de su mugrienta gorra de capitán de yate y se rascó la calva:

—Efecto han causado —admitió—. Calderón es hoy el hazmerreír de las Fuerzas Armadas. De «Halcón de los Andes» ha pasado a «Pichón de Panamá»...! La golfa voló hace tres días... Debieron de pagarle muy buena plata... ¡Observa esas fotos...! Lo coloca siempre de cara a la cámara para que no quepa duda de que se trata de Calderón... ¡Con lo feo que es el «coño-e-su-madre»...!

Durante largo rato hicieron conjeturas sobre quién había ejecutado semejante trabajo. Todos afirmaron que ni habían sido ellos, ni habían hablado con nadie de sus sospechas. Por una décima de segundo, León Plaza pensó en Anne-Marie de Villard, pero la idea ni siquiera llegó a cuajar en su mente. Ni en lo más remoto se le ocurrió que pudiera haberle contado cuanto sabía a un tipo tan falto de escrúpulos y tan peligroso como Pierre Galán.

—Habrá sido alguien que oyó rumores del mismo modo que los oímos nosotros, y decidieron neutralizar-lo —aventuró el gordo Cabello.

Aceptaron que, tal vez, fuera la explicación al hecho, y León Plaza se preguntó qué ocurriría si la misma persona llegaba a tener noticias de que le habían propuesto el «plan europeo» y decidía fotografiar su intimidad con Anne-Marie de Villard.

De improviso experimentó la necesidad de hacer copartícipes de su secreto a aquéllos, sus tres mejores amigos y compañeros de armas, en los que sabía que podía confiar hasta el fin.

Sin referirse concretamente a Anne-Marie, les explicó en qué consistía el «plan europeo» y concluyó:

—No pienso tomar parte en ello, pero me gustaría saber qué os parece la idea...

Tardaron en responder, como si les costase digerir un proyecto tan audaz y, al mismo tiempo, tan detallado. Pidieron aclaración sobre puntos que se les antojaban oscuros y, sobre todo, Abelardo Cabello se interesó, en primer lugar, por su viabilidad.

—¿Tenemos realmente tanto petróleo como para abastecer a Europa durante cinco años...? —quiso saber.

—Al parecer lo hay en la Faja Bituminosa del Orinoco —afirmó León Plaza—. No es el tipo de petróleo que estamos acostumbrados a vender, pero los europeos creen poder aprovecharlo.

—Creí que resultaba tan caro, que no valía la pena su comercialización —comentó Pepe Sucre.

—Eso era antes... Cuando vendíamos a dólar el barril. Pero ahora pagan doce... A mi modo de ver, es un abuso... —hizo notar—. Ganamos más del dos mil por cien en cada uno de los dos millones de barriles que vendemos diariamente... —Hizo una pausa, que aprovechó para tomar un sorbo del café negro que les acababan de servir—. Es cierto —añadió— que los países desarrollados nos han explotado durante años, y éste es nuestro momento, pero no estamos haciendo más que imitarlos, y aun superarlos, en su expoliación con lo cual nunca tendremos derecho a invocar justicia...

Omar Díaz, quizás el más conservador de los allí reunidos, tanto por su fortuna personal como por su ideología fue el encargado de responderle.

—¿Y qué quieres que hagamos...? —inquirió—. ¿Ofrecer la otra mejilla, y ser los Jesucristo de esta historia...? Nadie tuvo la delicadeza de ofrecernos un precio justo por nuestro petróleo hace unos años —añadió—. Si no nos hubiéramos unido para conseguirlo, aún continuarían quemándolo a un miserable dólar el barril... No creo que debamos aflojar hasta que hayamos recuperado cuanto nos robaron en este último medio siglo de llevarse petróleo a precio de gallina flaca... ¿Cuánto hace que lo hemos subido...? ¿Cuatro años? Es poco... Que aguanten unos años más, del mismo modo que aguantamos nosotros. Con todos los respetos, yo no creo en promesas de Europa, del mismo modo que nunca creí en las de Estados Unidos.

León Plaza no respondió. Aguardó la opinión de

Abelardo Cabello y Pepe Sucre, que no hicieron comentario alguno, lo que probablemente significaba que, hasta cierto punto, mantenían idéntico criterio. No quiso enredarse en una discusión que a nada conducía. No pretendía convencerlos, porque estaba decidido a no participar en ninguna acción contra el Gobierno, ni intentar cambiar las cosas.

—Creo que deberíamos hablar con el ministro —dijo en voz alta—. Tendremos que explicarle muchas cosas. Entre otras, la razón de que existan estas fotos...

—No me gusta la idea de ver a los políticos metiendo las narices en los asuntos de las Fuerzas Armadas —hizo notar Pepe Sucre—. Es cosa de militares, y debe quedar entre militares.

León Plaza se volvió a Omar Díaz:

—¿Tú qué opinas...?

El otro dudó un instante. Por último, hizo un gesto con la cabeza hacia Sucre:

—Estoy con Pepe... Debe quedar entre nosotros...

Ahora la pregunta fue dirigida a Abelardo Cabello:

—¿Y tú...?

—Lo que haga o deje de hacer Calderón no tiene nada que ver con el honor de las Fuerzas Armadas —señaló el gordo—. Si se descubre que lo hemos ocultado, nos pondremos en entredicho...

León Plaza estuvo de acuerdo. La existencia de un general dispuesto a dejarse corromper no presuponía la corrupción del Ejército. De cara a la opinión pública, significaría una muestra de honradez exponer a la luz sus propias faltas.

—En este país se ha echado tierra encima a demasiadas cosas... —se lamentó—. Proteger a Calderón no resuelve nada... Cualquier día, confiando en eso, otro general o quizás un coronel desconocido lo intente a su vez... Alguien debe comenzar a dar ejemplo cortando por lo sano con valentía... ¿Por qué no las Fuerzas Armadas...?

Los generales se miraron. Guardaron silencio durante unos instantes. Al fin Omar Díaz tomó de nuevo la palabra.

—Tú siempre has sido el jefe, León... —comenzó—. Si crees que es lo mejor, se hará como tú digas... —meditó unos instantes—. El jueves inauguro mi nueva casa del Country... Daré una fiesta, y espero que venga el ministro, e incluso, tal vez, el presidente... ¿Por qué no acudes? —rogó—. Sería una buena forma de tratar el asunto informalmente y, luego, si están de acuerdo, lo haríamos de modo oficial.

León Plaza recorrió, despacio, los rostros de sus compañeros de armas, y le agradó comprobar, una vez más, que seguían considerándole su líder. Si lo hubiera deseado —pensó— los habría convencido para que le siguieran en la aventura de transformar Venezuela. Incluso Omar Díaz, que tanto tenía que perder con un cambio, le hubiera apoyado.

—Creo que, de un modo u otro, este país llegará lejos —dijo al fin, expresando en voz alta sus pensamientos—. Creo que si ya hemos aprendido a saber lo que es democracia pronto o tarde aprenderemos, también, lo que es igualdad... —Hizo un ademán de asentimiento a Omar Díaz—. De acuerdo entonces... El jueves, en tu casa...

Tomaron asiento en un balancín, contemplando en silencio el gran campo de golf iluminado por la luna y la majestuosa silueta del Ávila, por cuya cumbre revoloteaban nubes juguetonas empeñadas, al parecer, en ocultar y desvelar alternativamente el afilado cilindro que constituía el hotel «Humboldt», solitario y abandonado allá en la cima.

Cantaban los grillos en la hierba, y del interior de la lujosa mansión llegaba una música suave, entrecortada por risas, voces y tintinear de copas.

Muy lejos, en la Avenida Miranda, resonó un claxon, pero luego volvió la calma, y se diría que no se encontraban en el corazón de Caracas, sino a kilómetros de distancia de cualquier lugar habitado, en pleno campo.

La noche era tibia y agradable, y les invadió una profunda sensación de paz. Las nubes del Ávila comenzaron a diluirse como el humo de un cigarrillo en un rayo de sol de media tarde, y las contemplaron en silencio, maravillados de la perfección del momento.

León Plaza extendió la mano, tomó la de Anne-Marie y la acarició con dulzura.

—¿Cuándo te marchas...? —inquirió sin amargura en la voz.

Lo miró. No había reproche alguno en su tono ni en su gesto. No le recriminaba; tan sólo se advertía una leve tristeza ante la aceptación de un hecho inevitable.

Los dos lo sabían. Quizá desde hacía días, o quizá lo supieron desde siempre. Tenían que separarse. La suya no era —no podía ser nunca— una historia de amor perdurable, porque eran muchas las cosas que se interponían entre ellos. Se interponía la vida, el pasado, que constituía una fuerza inmaterial; pero invencible.

El amor apasionado de noches de locura y desenfreno dejaba paso siempre al amor tranquilo, al cariño, la comprensión y la convivencia. Anne-Marie se sentía a gusto también así y no exigía ya que la poseyeran una y otra vez hasta agotarla. Ahora, renacida la calma, añoraba otra calma: la de su hogar, sus hijos y Gérard.

La dualidad de su personalidad volvía a decantarse, y lo sabía. Tal vez allí, en París, echara de menos y necesitara otra vez a León Plaza y la aventura que aportaba a su existencia, pero en aquel momento, meditando en la quietud de la noche caraqueña, Anne-Marie de Villard aceptaba que, en los platillos de la balanza de sus sentimientos, continuaba pesando más su familia y su pasado.

—Quiero irme mañana... —admitió, y extendió la mano para acariciarle suavemente el rostro—. Lo comprendes, ¿verdad?

Afirmó en silencio. Hacía tiempo que lo presentía, y había advertido que la decisión que ella iba a tomar le entristecía, pero no le hacía daño. Agradecía los días de felicidad que le había dado; agradecía, sobre todo, comprobar con cuánto ardor había respondido a su propio ardor, obligándole a sentirse de pronto joven y vigoroso, capaz de reemprender el difícil camino de existir realmente.

—Lo comprendo —admitió—, y no te culpo por ello... En el fondo, siempre lo supe: era demasiado hermoso para durar... Tú perteneces a Gérard y tus hijos, y eso nadie puede cambiarlo...

Ella recostó la nuca en el respaldo del balancín y lo impulsó levemente, columpiándose mientras contemplaba las estrellas que salpicaban el cielo caraqueño.

—Ha sido muy hermoso... —admitió—. Quizá lo más hermoso que me ha ocurrido desde el nacimiento de mis hijos... —Le miró—. Sabes que te recordaré mientras viva, ¿verdad?

—Me agradaría... —admitió—. Ya no tengo nadie que me recuerde...

Anne-Marie no comprendía que él se mostrara tan indiferente ante la vida.

—¿Por qué no puedes buscar a alguien...? —insistió—. Existen cientos de mujeres...

No respondió. Decirle que no soñaba encontrar otra como ella, y que jamás desearía llenar el hueco que iba a dejar, hubiera sido tratar de presionarla, obligarla a que siguiera a su lado.

Para la mayoría de los hombres, dos mujeres a lo largo de toda una vida no eran nada. Para León Plaza, por el contrario, aquellas dos mujeres le bastaban. Había sido feliz con ambas de distinto modo, y cada una dejó en su alma un dulce, triste y hermoso recuerdo. Ya no se sentía joven y le resultaría difícil probar otra vez y acertar. Las probabilidades estaban en su contra. Si el deseo sexual no le apremiaba, ¿qué necesidad tenía de arriesgarse a un fracaso?

Aun así, sonrió para tranquilizarla.

—Tal vez la busque —admitió—. Tal vez dentro de un tiempo.

Se balancearon en silencio, felices de disfrutar, sin necesidad de palabras, de aquella última noche juntos que quedaría grabada en sus memorias para siempre. Era paz, ternura, compenetración, amistad, y, ¿por qué no?, amor, lo que sentían. Era una forma de despedirse, sin besos, ni voces; sin lágrimas, ni estremecimientos de placer. Sin apasionadas promesas, ni amargos reproches. Era lo que ambos querían que fuese.

Les interrumpió un rumor de pasos. León Plaza volvió el rostro, molesto, pero, casi al instante, su expresión cambió y se puso en pie desconcertado.

Un hombre se aproximaba a grandes zancadas seguido, a cierta distancia, por un coronel del Ejército. Se cuadró, pero el otro hizo un ademán amistoso y le estrechó la mano con afecto:

—Tenía ganas de verte, León —dijo—. Tenemos que hablar...

Se inclinó ante Anne-Marie y le besó la mano gentilmente. Su tono de voz no daba pie a que ella se ofendiese cuando rogó, con una leve sonrisa de complicidad:

—Madame..., ¿sería tan amable de invitar a bailar a mi ayudante...? Se muere por hacerlo...

Anne-Marie asintió con un gesto de la cabeza y, venciendo su innegable inquietud por dejarle a solas con León Plaza, se puso en pie y se encaminó, del brazo del coronel, hacia la casa.

Los observaron mientras se perdían de vista por el amplio jardín. El recién llegado se dejó caer luego en el balancín con gesto de cansancio y se columpió con el aire de un niño que no ha disfrutado durante mucho tiempo de un placer tan simple. Indicó con un ademán hacia la pareja:

—¡Una mujer maravillosa...! —comentó, y luego golpeó con la mano el asiento, a su lado—. ¡Ven, siéntate...! —pidió—. Me dijeron que querías verme...

¿Qué ocurre? Si deseas volver, me alegra, porque el país te necesita.

León Plaza obedeció y tomó asiento. Durante unos segundos le observó y advirtió, apenado, que había envejecido y se le notaba muy fatigado, como si no soportara una pesada carga que tuviera que arrastrar siempre. Su aparente animación y su derroche de energías y vitalidad resultaban, en cierto aspecto, forzados.

—Aún no sé si quiero volver... —dijo al fin—. Me siento muy tranquilo allá en los Llanos...

—Demasiado tranquilo, León... —le reprochó—. Demasiado tranquilo y resulta egoísta por tu parte... Si aquellos que valen y en los que se puede confiar, se abstienen, ¿quién nos queda...?

Tuvo la impresión de que percibía una especie de oculta intención en sus palabras, pero no alcanzó a tener la certeza. Durante una fracción de tiempo muy pequeño dudó sobre lo que iba a decir, pero al fin venció su sentido de la honradez y su necesidad de echar fuera cuanto le preocupaba.

—Hay algo que quiero confesarte... —comenzó—. Creo que debí haberlo hecho ya por conducto oficial, pero no me sentía con fuerzas...

—Si te refieres al intento de Golpe de Estado, no vale la pena... —Le interrumpió, ante el asombro de León, que sintió que el corazón le daba un vuelco—. Calderón ya está suficientemente desprestigiado... —Sonrió con cierta amargura—. Al fin nos ha dado motivos para «empapelarlo»... —Hizo una pausa—. No volverá a molestar...

Se sintió incómodo. Presintió algo indefinible; quizá la desconcertante sensación de que estaba jugando con él como el gato con el ratón. De que le estaba dando una oportunidad, para que su confesión fuera menos penosa. Hizo un nuevo esfuerzo:

—No me refería a Calderón —dijo por último—.
No me refería a ese Golpe de Estado. —Se le advertía
profundamente serio y preocupado, casi avergonzado,
aunque sabía que, en el fondo, no tenía nada de lo que
avergonzarse—. Se trata de un levantamiento que yo
tenía que encabezar...

El otro le miró impasible:

—¿Quieres hacerme creer que pensaste en alzarte
con el poder...?

León Plaza no supo si sentirse aliviado u ofenderse
al advertir que no se alteraba en absoluto. Continuaba
experimentando aquella indefinible impresión de que
había «algo» que no cuadraba. Decidió continuar adelante y, sin mencionar a Anne-Marie de Villard, relató
cuanto sabía sobre el «plan europeo», la posibilidad
de una cooperación con Venezuela, la ruptura con la
OPEP, el Golpe de Estado y la conversión de Venezuela
en una potencia mundial siguiendo las huellas de lo que
estaba haciendo el Irán. Confesó también la favorable
impresión que le había producido estudiar en cada uno
de sus detalles aquella operación tan bien planificada,
tan lógica y, al mismo tiempo, tan fantástica, que parecía ser la única capaz de ofrecer a Venezuela una
opción válida para abandonar el camino sin futuro que
había tomado desde los infaustos tiempos de la colonia
o las férreas dictaduras.

—Sería como empezar de nuevo, desde cero... —continuó—. Levantar los cimientos de nuestra infraestructura, enferma, porque gran parte de los regímenes que
nos gobernaron hasta ahora deseaban esa misma enfer-
medad. Basarnos en algo que nunca hemos tenido:
educación y bienestar de la masa, para empezar a construir de ahí para arriba...

—¿Y por qué no te decidiste? —fue la fría respuesta.

—Porque no me siento capaz de traicionar mi juramento. ¡Pero tú...! —añadió—, tú deberías estudiar ese «plan» que Europa propone y dar un giro total a nuestra política y nuestra economía... ¡Tú eres el hombre, y ésa es una obra digna de ti...!

El otro le miró a los ojos directamente y agitó la cabeza con aire pesimista.

—¿Y nuestros compromisos, León? —inquirió apagadamente—. ¿Cómo renegar de cuanto hemos dicho y firmado hasta el presente...? Una nación no tiene derecho a cambiar de idea de la noche a la mañana... —Sonrió con amargura—. Máxime cuando a su presidente le queda muy poco tiempo de mandato legal y no puede ser reelegido... —Hizo una pausa, en la que pareció meditar sobre cuanto acababa de oír—. Ese «plan europeo» exige por lo menos un par de años de preparación, y otros cinco de funcionamiento... Sabes que ningún presidente constitucional dispone de tanto tiempo... ¡Son inconvenientes de la democracia...! Nadie quiere dejar una tarea a medio terminar para que su sucesor se apunte los éxitos... —Le miró directamente a los ojos, y ahora sí, sus palabras sonaron con claridad doblemente intencionadas—. Sería necesario que un general de absoluta confianza, incorruptible, se alzara con el poder... Únicamente él podría entonces, por lógica, prescindir de los compromisos contraídos por gobiernos anteriores y disponer del tiempo y la autoridad suficientes como para llevar a buen fin un plan tan ambicioso... Pero, ¿dónde encontrar al hombre lo bastante honrado como para que, después, al concluir su obra, devolviera el poder al pueblo y a los que deben detentarlo legalmente...?

Guardó silencio, y contemplaron la noche en silencio. La verdad, la increíble verdad, se acababa de abrir paso a través del cerebro de León Plaza, que se sintió a la vez orgulloso y triste. Experimentó un profundo agradecimiento hacia el hombre que se balanceaba a su lado:

—Tenía que ser yo y no supe comprenderlo, ¿no es cierto?

Posó la mano con dulzura en su antebrazo y sonrió:

—Debo confesarte que, de haber aceptado, en lo más íntimo de mi ser me habría sentido decepcionado... ¡Es tanta la confianza que tengo en ti...!

—Era una tentación muy grande...

—No mayor que tu lealtad... Lo he comprobado...

—¿Y por qué no viniste a pedírmelo desde el principio...?

—No podía mezclarme de un modo oficial, compréndelo... La Historia nunca me lo habría perdonado... Me acusaría de querer gobernar a través tuyo...

—¿Se te ocurrió a ti solo...?

—En parte... Un día comprendí que el camino que seguíamos no conducía a nada... Ricos, cada vez más ricos, y pobres, cada vez más pobres. En el centro, un país vacío. Vacío, sobre todo, de sueños, de ilusiones, de ansias de luchar... Nuestra gente sólo piensa en «carros» más lujosos y televisores mayores... Creen que el petróleo sólo sirve para eso, para derrochar. —Se balanceó con más fuerza, casi violentamente—. Aspiré a ofrecerles un ideal: construir una Venezuela nueva, de la mano de un hombre nuevo.

—¿Y estabas dispuesto a sacrificarte...?

—No hubiera significado sacrificio sabiendo que se trataba de mi propia obra... ¡Mi gran obra...! Y aún no estoy seguro de que un día no tengamos que llevarla a cabo... De momento, esperaremos...

Se puso en pie, y León le imitó. Se estrecharon las manos con afecto y mutua admiración:

—No vuelvas al Llano... —fue su última petición—. Reincorpórate a tu puesto y permanece atento... Aún tengo confianza en los tiempos que llegan... Norteamérica renace tras la etapa más confusa y caótica de su historia, y creo en la buena voluntad del nuevo presidente... —Se advertía en él una especie de ansia de convencerse a sí mismo—. Tiene que haber comprendido la necesidad de un cambio. Las grandes compañías petroleras no deben seguir siendo dueñas del mundo y de los destinos de millones de seres humanos... Teóricamente, nosotros ya las hemos expulsado, nacionalizando nuestro petróleo, pero no quiero engañarme: continúan dominándonos... ¡Permanece atento! —repitió—. Si Carter no es el hombre que todos esperamos, tal vez te necesite... Tal vez el mundo entero te necesite, León... No existen muchos como tú.

Dio media vuelta y se alejó con paso vivaz, a grandes zancadas. Dos hombres nacieron de las sombras y le siguieron, protegiéndole. Y León los observó hasta que desaparecieron en el jardín hacia la casa, por el mismo sendero que Anne-Marie y el coronel.

Se recostó de nuevo en el balancín y contempló largo rato, absorto, el cielo, ahora sin una nube, de Caracas. La luna sacaba destellos azulados al Monte Ávila; la música, muy suave, llegaba mezclada con risas y entrechocar de copas; la noche, tibia y primaveral, típica noche caraqueña, invitaba a soñar despierto.

Y León Plaza soñó.

Madrid — Enero 1977

OTRAS OBRAS DEL MISMO AUTOR

OCÉANO

La familia Perdomo, apodada *Maradentro*, se dedica desde tiempos inmemoriales a la pesca; diríase que el inmenso Océano es su hábitat natural. Pero los Perdomo, estirpe arraigada en aquella tierra desde épocas remotas, ven alterada su pacífica y rutinaria vida a causa de una bendición que a ellos llega a antojárseles una maldición: Yáiza, la menor de la casa, es una muchacha de una extraña belleza, poseedora de un «Don» sobrenatural para «aplacar a las bestias, aliviar a los enfermos y agradar a los muertos». Uno de los hermanos de Yáiza mata al único hijo de don Matías Quintero, poderoso terrateniente de la isla. Éste experimenta unos anhelos de venganza que van más allá incluso de la muerte.

YÁIZA

ALBERTO VÁZQUEZ-FIGUEROA

Yáiza Perdomo, perteneciente a la familia apodada *Maradentro*, es una joven canaria, de Lanzarote, poseedora de una extraña belleza, así como de un don sobrenatural para «aplacar a las bestias, aliviar a los enfermos y agradar a los muertos». Uno de los hermanos de la muchacha mata al único hijo de don Matías Quintero, poderoso terrateniente de la isla, quien experimenta unos anhelos de venganza que van más allá incluso de la muerte. La familia Perdomo huye en su barca de pesca hacia las costas americanas, perseguida por Damián Centeno, hombre de confianza de Quintero. Tras terribles peripecias, Yáiza y los suyos llegan a Venezuela, en donde deben enfrentarse con las dificultades de su nueva vida. Yáiza es protegida por su familia, pero no se ve libre del especial hechizo que la chica ejerce sobre los hombres y es víctima de intentos de explotación por parte de un proxeneta. Los Perdomo se ven obligados a cambiar de residencia repetidas veces para escapar a su fatal destino.

MARADENTRO

ALBERTO VÁZQUEZ-FIGUEROA

Con *Maradentro* llegamos al final de la trilogía compuesta asimismo por *Océano* y *Yáiza*. Tras su huida de Lanzarote, los Perdomo *Maradentro* deben rehacer su vida en tierras venezolanas. Allí continúan produciéndose situaciones inesperadas a causa del especial hechizo que Yáiza ejerce sobre los hombres. Los Perdomo *Maradentro* —la familia de Yáiza—, forzados por las circunstancias, se ven obligados a cambiar de residencia repetidas veces y, finalmente, tienen que dirigirse a la Guayana venezolana, una especie de confín del mundo, en donde existen minas de diamantes. Yáiza y su familia se ven inmersos en el singular y fascinante entorno de los buscadores de diamantes y de los indígenas de la región. La meta principal de los buscadores es la mina «Madre de los diamantes», descubierta a principios de este siglo pero después perdida. En este marco sin par, la hermosa Yáiza experimenta una transformación mágica. Con esta novela, que cautiva al lector desde las primeras hasta las últimas líneas, tenemos ocasión de conocer un universo a la vez real y fabuloso. La lectura de *Maradentro* constituye una extraordinaria aventura.

OLVIDAR MACHU-PICCHU

Una mujer, una sencilla ama de casa que ha visto transcurrir su existencia en la absoluta normalidad de una vida burguesa y sin sobresaltos, se enfrenta de improviso al hecho de que puede acabar, impunemente, con uno de los más odiados asesinos y explotadores de todo un Continente.

¿Debe ajusticiarlo en contra de los principios morales que le inculcaron cuando nació y con los que ha vivido en paz durante más de treinta años, o debe mantenerse al margen, permitiendo que semejante tirano continúe cometiendo toda clase de crímenes y atrocidades?

El concepto de que nadie debe tomarse la justicia por su mano lo inventaron aquellos que tenían en su mano la justicia y no deseaban que nadie usurpara sus privilegios.

¿Qué derecho tiene la conciencia a oponerse a algo que la razón considera que debe hacerse por el bien de muchos?

LA IGUANA

Alberto Vázquez-Figueroa, escritor y viajero que, con *Tuareg*, *Ébano*, *Manaos*, *El perro*, *Nuevos dioses* y tantos otros libros ha demostrado sobradamente su capacidad narrativa, regresa, con *La iguana*, a uno de sus mundos predilectos: el archipiélago de las Galápagos, en el Pacífico, recopilando, en la que él y todos consideran como la mejor novela que haya escrito hasta el presente, la inconcebible, apasionante, cruel y desgarradora vida de un ser a la vez diabólico y profundamente humano, «la iguana Oberlus», una criatura tan contradictoria, feroz e inaudita, que tan sólo podría considerarse como simple fruto de la imaginación desbordada del autor, a no ser por el hecho indiscutible de que vivió y murió en el islote de Hood, en el que aún se conservan tristes e inequívocos recuerdos de su paso por la vida.

TUAREG

¿Cómo es posible que un hombre solo pueda abatir a toda la guarnición de una fortaleza? Porque este hombre es un targuí, individuo singular al margen de la civilización de los pueblos norteafricanos. Su culto a la hospitalidad lo lleva a enfrentarse a todo un ejército. *Tuareg* está considerada como una de las mejores novelas de Vázquez-Figueroa, en la que se refleja su extraordinario conocimiento del desierto del Sáhara. Esta original y sugestiva obra ha dado origen a una gran superproducción cinematográfica, protagonizada por Mark Harmon (popular por la serie *Flamingo Road*). Pero el libro muestra a fondo lo más fascinante: el alma admirable y desconcertante del pueblo tuareg.

Impreso en el mes de marzo de 1986
en Talleres Gráficos Soler, S. A.
Luis Millet, 69
Esplugues de Llobregat
(Barcelona)